1-25-2022

A mi amiga Evelyn,

Con mucho cariño a una gran conocedora de arte. Los libros son la memoria de la historia. Colección de cuentos de nuevos latinoamericanos de Houston. Y mi primera publicación "Taxi Amarillo"

Con amor.

Amarilis Vegano

SUELE PASAR QUE NOS QUEDEMOS

NOVÍSIMAS ESCRITURAS DE ESTADOS UNIDOS

SUELE PASAR QUE NOS QUEDEMOS

NOVÍSIMAS ESCRITURAS DE ESTADOS UNIDOS

Vv.Aa.

literalpublishing

D.R. © 2021, Literal Publishing
5425 Renwick Dr.
Houston, Texas, 77081
www.literalmagazine.com
ISBN: 9781942307389

Impreso en Estados Unidos / Printed in the United States

ÍNDICE

PRESENTACIÓN

Este libro es el resultado de una convocatoria que surgió desde *Literal*. La idea era la de llamar a la comunidad de la ciudad de Houston, que escribe en español, a que enviara un máximo de dos cuentos para que fueran sometidos a la mirada de un jurado de talla internacional. Ellos fueron Mayra Santos (Puerto Rico), Eduardo Espina (Uruguay) y Andrea Chapela (México). El criterio para elegir al jurado fue el de buscar escritores con una trayectoria reconocida que hubieran tenido la experiencia de haber vivido en Estados Unidos. Queríamos que en algún momento de su vida hubieran experimentado lo que era ser un latino en este país porque la estética literaria y la afectación que ésta ejerce sobre el lenguaje y el pensamiento se trastocan con la experiencia del exilio.

La colectividad literaria hispanoparlante en la ciudad es muy robusta. Los talleres de escritura creativa que impartimos desde *Literal* así como el impulso a la creación literaria que también se realiza desde Inprint, el programa de doctorado de la Universidad de Houston o los Cronopios, por mencionar solo algunas instancias culturales, nos han dado a todos un sentido de comunidad. La riqueza de las tertulias, las presentaciones y las publicaciones crean un ambiente de intercambio y cultura. Esta compilación recoge esa diversidad de autores oriundos de algunos lugares de América Latina como lo es Argentina, Chile, Colombia, Cuba, México, Puerto Rico, Paraguay y Venezuela y en ese orden presentamos sus cuentos. Son voces que hablan desde aquí y se unen en este catálogo para trascender las barreras del lenguaje que se nos intenta imponer a través un monolingüismo ya inexistente. En ese sentido, este libro confirma que Houston es la ciudad más internacional del país porque su población comprende la diversidad más uniforme entre los cuatro grupos demográficos principales. Según el Kinder Institute for Urban Research de la Universidad de Rice, las estimaciones más recientes muestran que nuestra población es 42 por ciento latina, 31 por ciento anglo, 19 por ciento negra y 8 por ciento asiática. No es gratuita, entonces, la efervescencia cultural que se vive acá y que hace de Houston el lugar idóneo para tratar los temas más humanos que van, desde la añoranza (o el desprecio) por la familia, la infidelidad, las tradiciones que se importan y se heredan, las circunstancias más obsesivas e inestables, hasta el choque cultual entre hispano y angloparlantes. Todos ellos y otros temas se exploran a la largo de este libro.

Algunos de los escritores han formado su carrera dentro de nuestros talleres bajo la dirección de Rodrigo Hasbún y una servidora, otros son autores independientes o del programa de la Universidad de Houston. Pero lo que sí es uniforme, es que *Suele pasar que nos quedemos* alude al asentamiento tanto geográfico como cultural que impone su presencia en la ciudad, el estado y la nación para mostrar a un grupo vigoroso y estable que seguirá creando y aportando mientras la pasión por las letras y la creatividad sean la guía de su existencia en el extranjero. Gracias a Ilallalí Hernández y David Dorantes por su atinada sugerencia.

Sean todos bienvenidos y que esta segunda antología que surge desde *Literal* pueda develar otra faceta de lo que esta ciudad, nuestro hogar, quiere ofrecer al resto del mundo.

ROSE MARY SALUM
Verano, 2020

PIVOTANDO BASE

LESLIE GAUNA

Houston-Rosario. Rosario-Buenos Aires. Buenos Aires-Houston.
Houston

Tengo arriba del teléfono un cartelito: mi casa está en Houston —apruebo mis decisiones— me perdono por no estar en Rosario. Papi me dice que me pierdo el asado del domingo, con mis hermanos y una docena de sobrinos que crecen rápido. Decido en terapia que cada vez que hablo a casa necesito que Panco esté a mi lado y me dé la mano.

Rosario
Diciembre, 2020
Sábado 19

Llego a la estación de colectivos. A través de la ventanilla veo a mami con capelina y a papi con bermudas y sandalias. Con más de ochenta años, los dos se empecinan en cargar con mis valijas.

Papá, te acompaño a buscar pescado.

Me llevás en el Fiat. En Houston te conseguiste un trabajo de buzzboy y con eso te lo compraste. Panco y yo pagábamos nuestra primera casa. Vos regabas el pomelero todos los días. Le pusiste un clavo oxidado para que tome fuerza. Cepillaste los ladrillos vistos con lavandina, sacándoles el musgo. Corriste atrás de la bici de tu nieto para que se anime a andar.

Ahora en Rosario estoy sola disfrutándolos. Preparás seis bogas asadas al Roquefort. Mami una ensalada de tomate y una de radicheta. Soy feliz.

Domingo 20

Desayuno. Mi madre unta tostadas. Mi padre pregunta:

¿Por qué no vino Panco a Rosario?

Se quedó en Banfield. Ya hizo un año que falleció su padre y hay que hacerle arreglos a la casa, si no se viene abajo.

¿Y qué piensan hacer? Así vacía, esa casa solo genera gastos.

Está a la venta o alquiler, pero ahora en Argentina no se mueve nada.

¿Y qué pasa con la casa de Houston, la van a elevar para que no se vuelva a inundar?

Sale muy caro, papi. Nos costaría ciento setenta y cinco mil dólares. Todavía debemos doscientos sesenta mil de la hipoteca. No podemos. Además tenemos que pagar el college de los chicos. Ahí nos quedamos listos para salir corriendo con el próximo huracán.

Lunes 21

Tomando mate en el patio.

¿De qué tenías miedo cuando eras chico, papi?

De que nos echaran de la casa.

¿De quién era la casa?

Del Viejo.

¿Vos no le decías papá a él?

No. Yo no tuve padre.

Martes 22

¿Estás de acuerdo con que el departamento que heredé se lo dé a tu hermano? Vos sos a la única que me falta preguntarle.

No. No estoy de acuerdo. Cuando mi hermana se quedó embarazada y te lo pidió, no se lo diste. Cuando yo te lo pedí para irme a vivir con Panco, tampoco. Se lo das a mi hermano porque es el varón.

¿Estaría ahora viviendo en Houston si me lo hubieras dado?

Buenos Aires
Miércoles 23
8:30 AM
En la cama.

Panco, tengo una idea. ¿Qué tal si abrimos un *hostel*? Tendríamos disponibles cuatro habitaciones grandes. Hay dos que ya tienen camas matrimoniales y dos con camas simples. Si la casa estuviera llena tendríamos lugar para doce personas. A mí me faltan menos de diez años para jubilarme. ¿Te ves volviendo?

Yo sí. ¿Pero los chicos? ¿Qué hacemos cuando empiecen a tener hijos?

12:00 PM
Plan de arreglos en la casa. Salimos en el auto que también está sin usar desde que falleció mi suegro. Lista que me dicta Panco: caños flexibles, uno para el baño de afuera en el patio, otro para la pileta junto a la parrilla. Agrego: bolsas de basura, escoba y palita.

Al entrar al Easy pienso que es igual al Home Depot. Galpón con aire acondicionado lleno de cosas para la casa. A mi me abruman. Panco se siente cómodo, explorador, esperanzado. Arreglar, arreglar…

Mirá, estás son las luces LED que me gustaría poner en la cocina.

3:00 PM
Empezamos con los techos. Panco corta enredaderas con serrucho. Yo desde la terraza tiro las ramas al baldío de al lado. Para darle fuerza al envión y que crucen el tapia, me imagino que hago un drive con la raqueta de tenis. Después juego a que tengo un bate de béisbol. Soy Altuve o Correa. Funciona.

6:00 PM

Panco se pone guantes de cirujano. Da vuelta hojas de los documentos que extrajo de abajo de la escalera. Emanan olor a humedad. Los más recientes datan de hace setenta años. Algunos certificados de nacimiento y bautismo tienen más de un siglo.

Yo, sentada, lo escucho. Él los lee parado frente al bargueño.

¡Qué grande mi abuelo! ¡Cómo se animó! Tantos preparativos, tantos permisos y visas.

Abuelo venido de República Checa, importando maderas. Documento de inscripción en la Cámara de importadores y exportadores de Argentina. Está en castellano.

Tus abuelos vinieron todo legal. Mi abuelo y su familia vinieron sin nada. Eran campesinos en Rusia.

Jueves 24
9:00 PM

Hermoso día de trabajo.

Te quiero siempre.

Te quiero yendo a comprar cosas al Easy.

Te quiero cuando hablás con tu hermano. Le decís gracias por haberse encargado de venir seguido a la casa para que no parezca abandonada.

Te quiero cuando te veo cortando ramas gruesas de enredadera metida en la pared lindera de tu casa de más de un siglo.

Esto es como sacar un tumor en el cerebro, me decís.

De cáncer murió tu mamá. De cáncer murió tu hermana. Y después tu papá. En menos de cinco años.

Te amo cambiando el tubo flexible del baño.

Te amo hablando por teléfono con nuestra hija en Houston. Le explicás dónde encontrar la llave térmica después de que se cortó la luz por una tormenta.

Viernes 25
8:30 AM
En la cama.

Tengo miedo de tu silencio. Tengo miedo de los secretos.

Es que ya está. Move on. No regodearse en el dolor, me decís.

¿Por qué me querés?

Te quiero porque sos mi compañera de aventuras. Porque planeamos el futuro. Porque trabajamos juntos. Porque sos fácil.

Viniendo de vos lo de fácil es un halago. Tantas veces me dijiste complicada. Aquí en esta casa había secretos. Las cartas de tu tía con ocho intentos de suicidio. Tu mamá llena de culpa por no poder traérsela a cuidarla. La bisexualidad que tu hermana guardó en silencio. Las fotos que la delataron después de ella fallecida.

Sábado 26
8:30 AM
En la cama.

Estoy harta amor de que antes o después de coger siempre vuelvan a mí tus mujeres. Pina porque fue un secreto de tanto tiempo. No quiero más secretos. ¡No quiero más secretos!

Llanto con ruidos.

¡No los va a haber más! Ya te dije.

Y vos me decís que me querés porque trabajo con vos. Cuando te pregunté que cómo fue con esta última, confesaste que empezó cuando colaboraron limpiando una escuela. Pero si yo ¡siempre trabajé con vos!

¡Bueno, basta!

¿Por qué no me vas a engañar otra vez?

Vamos a trabajar, mi amor.

Decís perdón con un abrazo fuerte.

Conectar a través del amor, no a través del dolor. Conectar a través de escucharnos. Sin miedos.

Houston
Domingo 27
2:00 PM
Panco empieza a ver precios de departamentos frente al Herman Park. Dice que para cuando nos vayamos a Argentina. Viviríamos la mitad acá y la mitad allá. Me encanta que piense en un futuro juntos. Hace menos de un año nos tirábamos la palabra divorcio como cuchilladas. "Dejen esa palabra afuera", nos dijo nuestra psicóloga de pareja.

Houston
Agosto 2017
Miércoles 23
8:00 AM
Llega mamá. Terminamos los últimos detalles para el cumpleaños quince de nuestra hija. Reservamos lugar, le compramos el vestido, pagamos la música.

Jueves 24
12:00 PM
Empieza a llover. Los supermercados se vacían de bidones de agua. Hijos de amigos con niños chiquitos se van de Houston.

Viernes 25
3:00 PM
Salimos a comprar portarretratos para armar una mesa de fotos de los que no vienen al cumpleaños por estar lejos o por haber fallecido.

El huracán tiene nombre: Harvey. Ya pegó en Rockport y Matagorda. Nos quedamos hasta tarde en la casa de mi hermana celebrando el cumpleaños de su hijo mayor. Por suerte queda cerca porque ya empezó a llover otra vez.

7:00 PM
Mi mamá, Panco y los chicos nos ponemos a jugar al Rumi. En Argentina mi mamá es campeona. Miramos una peli. Ya va a parar. Ya va a parar.

Sábado 26
12:00 AM
Me fijo en la compu el nivel del *bayou*. No entiendo de pies y pulgadas a no ser que lo divida por tres. El Brays Bayou está llegando al nivel de inundación. Es de noche. Cada uno se fue a su dormitorio. Panco y yo miramos por la ventana de nuestro cuarto tomando turnos. El agua ya cubrió la medianera del boulevard. Mi amiga no para de llamar. Dice que si queremos su esposo sale a rescatarnos con su camioneta. Yo le digo que no se arriesgue, que ya no se puede pasar por las calles. "Stay put", nos dice el alcalde Turner por la televisión. En Houston hoy nadie duerme.

5:00 AM
El agua marrón llega hasta la ventana del living. Separada sólo por un vidrio. Nosotros adentro. Tengo sensación de acuario, o mejor dicho pecera, por el encierro. El agua brota por los rincones e intentamos secarla con toallas. Empezamos a levantar cosas. Nuestro hijo pide salvar los sillones de cuero. Los levantamos arriba de la mesa. Sobre los sillones en torre, ponemos la compu, el Xbox y algunos zapatos. El Bayou corre fuerte en nuestro jardín de adelante.

Por acá no salimos.

Abro la puerta del lavadero que da al patio. Entra el agua en remolino.

Panco, armá el kayak.

Ponemos algo de ropa y los documentos en bolsas de plástico. Estamos saliendo por atrás de la casa. Los leños antes apilados ahora están flotando. Atamos los botes de basura de la municipalidad para que no se los lleve la corriente. No te resignás a perder el auto. Lo subís a la parte más elevada de nuestro terreno. Sacamos unas maderas flojas y traspasamos el cerco. La casa de atrás está vacía. No hay nadie para rescatarnos. En el kayak van los dos perros y mami en el medio. Panco adelante e hijo atrás caminando lo empujan por las calles. Yo avanzo con el agua hasta el pecho, con la laptop envuelta en nylon sosteniéndola sobre la cabeza. A cinco cuadras viven unos amigos que en nuestra última llamada aún estaban secos.

La lluvia era fuerte y constante. A dos cuadras te grito.

Aquí me quedo. Veníme a buscar después.

Me quedo agarrada de un árbol en un jardín. Abre la puerta una señora que con voz frágil me pregunta

Do you need help?

I'm OK.

Me preocupo por ella. Sigue lloviendo. Estoy paralizada. Me da miedo cruzar la esquina. El agua corre fuerte y no confío en mi equilibrio.

8:00 AM

Llegamos. Los amigos nos preparan un café. Empieza a subir el agua allí también. Pasan las horas y no hay lugar a donde apoyarse. Yo tengo frío. Me acuesto en la cama matrimonial y en esa isla me quedo dormida. Brays Bayou subió veintiún pies en veinticuatro horas. Dividido por tres, son siete metros, igual al calado de profundidad que necesitan los barcos cargueros para pasar por el río Paraná. Muy hondo.

Sábado 27
Y los trescientos sesenta y cinco días siguientes

"Take the wet shit out", nos dijo nuestro amigo. Todo en una casa está apoyado sobre el piso de base: muebles, la ropa en los muebles, electrodomésticos, lo que se ve y lo que no se ve porque ni nos acordábamos que lo teníamos. Lo que no fue tocado por el agua, embalarlo para que no se impregne con olor a podrido. Trabajando a contra reloj. Arrancar paredes, pisos, bañaderas, inodoros, amueblamientos de cocina. Luego esperar meses a que todo se seque. Meses a que llegue la plata del seguro. Meses hasta que el contratista y su hijo vayan rearmando todo. Mientras tanto nosotros viviendo de prestado en la casa desocupada de un amigo. Afortunados.

Houston
HOY
9:30 AM

Yo desnuda por la casa —sintiéndome libre, hermosa, amada— después de un doble orgasmo. Tengo suerte. En alguna época me decía que nuestra frecuencia era poca pero buena. Después de un año de reconciliación, no me puedo quejar. Estoy plena. Nuestra hijita, la baby de la casa, ya duerme con su novio. Mejor que el chico no me vea desnuda. Vuelvo a la cama con Panco.

¿Te acordás cuando los chicos nos rogaban que les compráramos camas grandes para sus cuartos? Hasta se habían conseguido un colchón tamaño King que no se lo dejamos traer.

Fue la única vez que nos pusimos firmes. Hicimos reunión de familia y los escuchamos. Nuestro argumento era que no queríamos que creyeran que se podían venir a vivir con sus parejas. En ese tiempo el más grande traía a su novia días enteros.

¿Y qué hicimos?

Nada. Ese verano Harvey se llevó todo. Cuando volvimos a la casa después de un año ya nadie se acordaba de esa discusión. Todos, incluso los chicos, rearmamos la casa como siempre la habíamos querido.

UNA ACTRIZ FRENTE AL ESPEJO EN EL CAMARÍN DE UN TEATRO

LEONARDO GONZÁLEZ

Para Isabel Baboun

"No esperes risas, no esperes lágrimas. Ya te dije que me convertí en una muñeca de porcelana. No siento nada."
Iván Monalisa Ojeda

"Lo más importante en mi vida es el teatro y actuar. Y ser yo misma cada vez que me visto como si fuera otra. Y despreciar la fama y a los que me quieren. Y despreciar a los otros famosos, y despreciarme a mí misma maquillándome pegada al espejo."
Guillermo Calderón

Tú puedes, tú puedes, tú puedes Isabel te dices frente al espejo, tú puedes. Esta es una guerra contra el tiempo y te sabes el texto, te lo sabes bien, lo estudiaste durante un mes todas las mañanas después de levantarte sagradamente a trotar aunque ardiera Troya. Aunque ardiera Esparta. Hiciste todas las tareas. La clave del éxito fue correr con tus zapatillas Nike. Descubriste lo bueno de correr para la memoria de elefanta olvidadiza que tú tienes. Y lo hiciste bien yendo a correr al parque, al mismo lugar donde nadie te vio cortarte las uñas antes de venir aquí a mentir, aunque no te guste usar esa palabra porque es demasiado burguesa, y en cierto sentido, como un "murciélago", que apenas aparece vuela por todo este teatro.
Te maquillas.

Aquí solo se trata de verdades.
Te maquillas.
Se trata de dejar reír al alma —te tapas la boca por lo que acabas de decir— no vaya a ser que te escuche algún admirador.
Te maquillas.

Frente al espejo Isabel Spencer no puede dejarse decir esas cosas. Por supuesto que en la intimidad de su casa Isabel puede decir lo que quiera. Pero esta no es su casa.
Te maquillas.

Piensas frente al espejo: aquí la vida solo se trata de mentiras y verdades. Un miedo que toda actriz tiene es a olvidar.
A nosotras nos pasa. Sin ir más lejos, esta semana soñamos que éramos Medea en un acuario donde estaban todos pelados. Me tocaba mi escena con Jasón, la primera, no debía estar ni enfadada ni lastimosa. Partía yo, así es que el actor me esperaba con su mejor cara pero no salían palabras de mi boca, tenía la boca cosida como *make up* de calavera mexicana, no podía hablar. El director me echaba de la obra. Decía: no se puede trabajar así.
Un discurso sobre la vida en Marte.

Y un recorrido por un laberinto de acción con muchas armas. Mucho maquillaje. Al final yo me moría lanzándome desde el piso más alto de un edificio con la esperanza inútil de que mi cuerpo fuera más fuerte de lo que es y la muerte era una transformación, un mapa, un viaje dentro de un parque.
Cuando quiero a mis personajes les hago una biografía y eso deviene en que coloreo las unidades dramáticas con todos los crayones que compro especialmente para la ocasión y que me sé el texto unidad por unidad y logro hacer de las escenas una pizarra mágica llena de amor propio. Cuando eso ocurre soy una atleta de las emociones. Pero ahora no. Quizás fue el texto, la soledad,

el temporal, los zapatos que llegaron tarde, o yo, que me como por dentro. Hoy no estudié la letra. Hoy no quiero actuar. Hoy no quiero que nadie me vea por dentro ni por fuera. Sobre todo por dentro. No quiero que me vean por dentro. No así.
No quiero dar lástima. Una actriz levanta ideas.
Una actriz hace así y levanta una idea, un mundo.

Me digo a mí misma: para matizar este personaje con gestos reales debiste haber observado. Sangre de horchata, Isabel, sangre de horchata, no sabes qué hacer.
Me gustaría decir que todas las imágenes pertenecen a mi cuerpo y que ando bien vestida siempre. Todas las acciones pertenecen a mi cuerpo en todas las velocidades que yo quiera manejarlas. Las emociones, las velocidades, las acciones. Entonces diría que me siento disponible para actuar y me darían esos ataques de risa nerviosa que son tan propios de mí cuando no despierto con un ogro en la garganta. Les diría a todos que este oficio se trata de ser un animal de tamaña intensidad que los asuste y los haga ver por dentro cómo son los seres humanos y que yo me transformo cada vez que actúo y pongo crisis el "yo". Esto se trata de vivir en un limbo, en un tren con ladrillos. Si tuviera un abanico a mano entenderían lo que son las emociones, mis emociones.
¿Vieron que tengo un ancla tatuada en el dedo meñique? Es para acordarme que tengo amigas de infancia. ¿Vieron que tengo tatuada una frase en latín en el cuello? Es para acordarme de un profe que quise mucho y murió. No voy a hablar de cosas depresivas. No es que yo esté sola o necesite a alguien. Estoy llena de gente. Es que no sé, una actriz debe tener estabilidad, no ir de casting en casting. Un casting es un cuarto oscuro con gente desconocida y nada más. Por más entretenidos que puedan ser los castings, la vida es más entretenida que un casting. Toda persona que se transforme más de tres veces necesita un espacio de intimidad con alguien para desnudarse y decirle: Me sien-

to como un *transformer*, a veces no sé quién soy o si soy puro ritmo o pura agua. En todo caso perdí el ritmo, perdí el agua. O tienes que abrigarte muy bien porque en Irlanda hace mucho frío y no quiero que te conviertas en una muñeca de porcelana porque si te conviertes en una muñeca de porcelana te vas a trizar. O las cosas no hay que hacerlas de cualquier manera. Cosas así, en la intimidad de una casa. Un cuerpo, una casa.

¿De verdad crees que mis ojos reflejaron mi alma hoy mientras actuaba? Tienes unos ojos maravillosos, Isabel.
definitivamente eres una actriz cómica

¿Dijiste cósmica? Cómica
Creaste un contraste extraordinario para este papel dramático.

¿Qué metáforas trabajas, linda, por dios? Salvaje
Espeluznante
Brillante Terrorífica
¿En serio estuve terrorífica? Eso aquí quiere decir magnética
Se me pusieron los pelos de punta

¿En serio mis ojos reflejaron el alma?

No quiero hablar tanto de mi vida personal. Debería encontrarme con ella. La mujer que seré cuando me ponga estos zapatos que se demoraron tanto en llegar pero llegaron al fin. No puedo salir de este camarín. Si voy al baño veré a los guardias que duermen en los pasillos y a los actores del musical de al lado que fornican en el baño y eso me da tanto asco como las velitas de cumpleaños con torta. Los actores del musical de al lado hacen el amor en el baño. Ay, qué asco.

En el baño de abajo, los he visto, los escuché.

Estoy atada a este camarín. Debería pensar cómo es mi personaje. Cómo son sus pies. Eso siempre me sirve para entrar. Cómo es su espalda. Cómo son los dedos de sus manos, si tiene algún tatuaje, algún amuleto, y su pelo, cómo es su pelo.
Te maquillas los tatuajes.

Soy tan feliz antes de actuar, quisiera que este momento fuera como un rayo verde que dure lo que dura la soledad. Pero es tan corto que cuando llega se instala como una bufanda, da vueltas alrededor de mi cuello y se pierde.
En todo caso es mucho mejor ver que comparar. Imagino que en la tribuna está Truman Capote.
Al final del recorrido o viaje, o como sea que se llame este periplo que hace una actriz cuando se sube al escenario, el escritor de *Música para camaleones* me lanza un ramo de flores y me dice: Bravo, bravo, ha llegado una nueva actriz a Broadway.
Todos aplauden.

Sangre de horchata, Isabel, sangre de horchata, aprietas los dientes y más para adentro lloras porque cuando algo ha culminado hay que llorar o sino qué importancia tuvo
¡Gracias, Nueva York!

Llueven flores porque si no llueven flores entonces qué importancia tuvo Solo quiero que me amen y que lluevan flores y que alguien me diga Fuiste una perra.
Se te olvidó el texto pero no nos importó en lo más mínimo.

Nos sedujiste a todos con tu interpretación fabulosa del clásico de Eurípides y yo diré llorando que sí, que yo llevo a Medea en la sangre pero no les contaré por qué y luego les diré que sí de nuevo, aceptando todas las flores con una vulgaridad atroz y mi pelo aleonado sorprenderá a todo invitado al estreno y al final declararé: todos ustedes están en lo cierto, una versión post apocalíptica del gran clásico de la tragedia griega es de suma contingencia para estos tiempos sombríos, y después me diré para mí misma que hoy tiene sentido no haber sido cantante. Me diré para mí misma que hoy tiene sentido repetir los quince sonidos de vocal que usan los actores de acá para decir el texto veinte mil veces frente al espejo de este teatro de mierda. Me diré, después en otro teatro, más pequeño quizá, cuando estemos de gira y haya que firmar autógrafos y esperar flores a la salida del espectáculo en días lluviosos, que fui la primera actriz mitad chilena mitad griega en llegar a Broadway. Me diré para mí misma que hay que hacer de este momento una poética. Para actuar hay que entrar en el goce de hacer sentir a otros más que lo que sientas tú. El cuerpo es la única voz que escucharás de ahora en adelante. El único latido que valdrá la pena. Las actrices somos camaleones del olvido; no se te olvide eso nunca jamás. La gente querrá reír. Tú eres una actriz de comedia fingiendo ser una niña atrapada en un árbol y crees que todos somos un fantasma en la copa de ese árbol, en el que hoy una niña talló un poema acerca de la infancia.

Te vas para atrás hasta el día del golpe en la cara que te pegaron cuando interpretaste a Oswald en el Rey Lear y ese golpe simboliza una transgresión o un umbral o las dos cosas juntas. Piensas también en la locura. En Mozart. En la locura. En todos los actores que interpretaron al Rey Lear. Como El chico de la universidad. El chico de la universidad estuvo varios días con audífonos puestos, recitando a Parra en el Campus. El Réquiem, mira, ponte. Mira, ponte. Y cuando te ponías sus audífonos entrabas en su sintonía. Dos locos hubo en el Campus en aquel período. El otro trabajaba en la cafetería. Se llamaba Ricardo pero le decíamos Ricardó con acento en la o. Ricardó les preguntaba a todos por sus nombres. Cuál es tu nombre y tu apellido y tu segundo apellido y te contaba de dónde venían todos tus nombres y todos tus apellidos con absoluta certeza. Dicen que tanto estudiar se quedó repitiendo. Nadie le daba la mano porque la locura asusta y la gente tiene miedo y eso es súper comprensible, Isabel. No es bueno ayudar a los locos porque la locura es un territorio sin fin en el cual se entra y no se sale con vida. Así te enseñaron. A los locos no hay que mirarlos. A la gente que habla sola no hay que mirarla. A los locos hay que respetarlos sin acercárseles. Y yo no soy mala por eso. Pero igual a veces me acuerdo sin querer de mi amigo, El chico de la universidad, que enloqueció actuando en el Rey Lear de Shakespeare y Parra y que sin querer también en la obra me pegó una patada que me sacó dos dientes. Dos dientes, por la chucha, te da rabia. Te gustaría creer que no era para tanto pero lo era. Te acuerdas de la patada que te tumbó en medio de la representación, que hubo que suspender porque no se puede seguir cuando una actriz está inconsciente. Te acuerdas que esa noche con una bolsa de hielo en la boca pensaste:

el actor es un perro, no tiene dignidad lo repetiste
cientos de veces
el actor es un perro, no tiene dignidad hasta hiciste
una canción con esa frase el actor es un perro
no tiene dignidad

y hablaste con alguien por teléfono y le dijiste que tenías mucho miedo del futuro de ser actriz y que tu mandíbula estaba floja, inflamada, pero que el hielo surtía efecto descongestionante, una especie de milagro natural de las cosas que tienden a sanar.

El día de la patada pensaste en la muerte y no podías dormir y la muerte era un gato negro en la ventana. El día de la patada en la cara te diste cuenta de tu debilidad y que podías morir si un actor en una función te atacaba. Despertaste con las marcas de un zapato clásico en tu cuerpo, que en ese tiempo era joven y esbelto, pero tampoco tanto, un poco más esbelto, un poco más joven, nada más. Y lo que viste enfrente no te gustó. Te apretaste el corazón con las manos.

Está bien, no tengo cuerpo de actriz. A la Universidad de Chile debí postular en bikini. Por gorda no quedé, por gorda me tuve que ir a la Católica donde les importó más quién era por dentro. Y eso qué importancia tuvo si ya ganaste, si ya te fuiste y buscas un lugar en la tierra de las verdaderas estrellas, como la Juliette Binoche que pese a ser francesa apareció en la última de las Godzillas; o la Natalie Portman, que pese a ser francesa o judío francesa o judío americana, actúa en la saga Thor y esa es una cosa que te duele en la panza. No se puede pertenecer siempre a una misma clase de historias. Nada del pasado debería importarte, ya te fuiste de tu casa natal. Estás a punto de una transformación, a punto de salir al escenario para actuar los versos que te sabes desde que eras muy niña. Porque tú naciste para interpretar a Medea, y te echaron de Call Arts por eso, ¿te acuerdas?, ¿te acuerdas de ese día, Isabel?
Claro que me te acuerdas, pero no lo puedes contar porque te ataca el tiempo. Si lo pudieras resumir sería algo así como: Isabel se acuerda frente al espejo de cuando a ella no la dejaron actuar su rol. Ella, una actriz portentosa, un símbolo del teatro, no pudo continuar dándole vida a Medea porque unos burgueses de mierda de la facultad dijeron que su espectáculo no era saludable... que era "emotionally unsafe" para los actores y para el público, ¿por qué? Mil vueltas. Nadie se atrevía a decirlo, porque nadie se atrevió a decir nada. ¿Por qué unsafe?
¿Porque me embadurnaba entera con barro desnuda aullando el final de la obra? ¿Porque me vestía con casco, rodilleras, canilleras, hombreras, zapatos de escalar, me subía a un muro, me dejaba caer al suelo desde lo alto y me volvía a subir y me volvía a

caer y decía el texto llorando, caminando sobre vidrios? ¿O porque cuando la gente veía mi sangre real chorreando hacía gestos así? Los mismos gestos que Isabel veía al día siguiente, cuando ella, vestida de blanco, caminaba por los pasillos de la facultad con su morral: "Ahí va la niña fenómeno que interpreta a Medea por las noches en el teatro de la Universidad"... "Ahí va la niña que nos ha dejado a todos con la boca abierta". "Hola, ¿te puedo pedir un autógrafo? Me cambiaste la vida. Gracias". "Te vi dos veces veces y luego llevé a mi mamá al teatro. Lloramos toda la obra". "¿Cómo lo haces? ¿Cómo puedes ser tan hermosa?". "¿Eres humana o estás hecha de sal?".

Pero un día nos citaron a reunión temprano. Yo venía preparada con tres certificados médicos que decían que mi cuerpo podía hacer lo que iba a hacer. Lista para decirles: "esta máquina está capacitada para esto, no se preocupen por mí". Nunca pensé que los académicos nos dirían que la obra no se podía seguir haciendo y que los once actores del elenco se iban a quedar mudos... en ese típico silencio lleno de miedo... apenas nos dieron la noticia yo me fui corriendo a los bosques de Call Arts. Quería estar sola. Sin música. Sin celular. Sin weed. Con el vestuario de Medea. Quería sentir el suelo por última vez, besar la tierra, escupir a la academia.

Me fui. Me fui de Santa Clarita.

Por eso ahora en este teatro me digo que tiene sentido repasar las vocales y las consonantes del texto frente al espejo con un lápiz en los labios como me enseñó mi maestra en la escuela en Santiago. Tiene sentido ser actriz, porque se me ha permitido volver a intentarlo. Volver a ser lo que siempre he sido.
Ámenme, por favor, ámenme.
Ámenme hoy.

No quiero que cuando el próximo domingo vaya a la sección de espectáculos del New York Times y avance hasta el recuadro que diga algo acerca de esta obra grandiosa, yo me quiera suicidar de nuevo tirándome del tren como un poeta francés.
Hoy quiero que un extraño me diga Realmente iluminabas la escena con tus ojos. Te creí todo.
¿En serio? Gracias por tus comentarios.

Tienes una tristeza de leona y tu piel es tan tersa, tan suave.

¿Disculpa? ¿Tú eras la actriz que interpretaba a Medea? Sí, era yo.
¿Es la primera vez que actúas en Broadway? Sí, primera vez.

Te dices

No actuar mecánicamente

Entender la mecánica sin actuar mecánicamente Entender que puedes ser una máquina
Pero no quieres Hoy quieres actuar
Te odias antes de actuar

Te preguntas por qué no estudiaste medicina antes de actuar
Tenías un buen puntaje y hasta una beca
Te preguntas hasta el cansancio

No entiendes porqué te gusta tanto que te quieran Esto se trata de amor propio y de respeto
No entiendes porqué te gusta tanto que te quieran Respetar las imágenes, respetar la velocidad
No entiendes porqué necesitas tanto que te quieran En esto es fundamental la presencia del otro Entender al otro como a un amigo

UNA ACTRIZ FRENTE AL ESPEJO EN EL CAMARÍN DE UN TEATRO

No un enemigo

Ir a buscar jengibre, calentar el agua, hacer gárgaras con agua y sal, Comprar flores para la casa a menos que un admirador las haya dejado Dejar que entren todos los vecinos a esta casa
Entender el cuerpo como una casa

Que hoy debe estar vacía para que entre otro cuerpo Limpiar la casa, despojarse, desaparecer
Inyectar energía desde el coxis hasta la nuca Evitar la droga y el helado
Darle espacio al trabajo
Actuar divertirse mentir
Se encienden las luces del teatro
Mentir bien
o no decir nada.

HERRAMIENTAS DEL PLACER

LUCÍA CHARRY CORREDO

Entré al negocio familiar a los dieciséis años. Mi trabajo era la contribución de mi parte, así nos evitábamos contratar un empleado extra. Como todavía estaba en el colegio, me tocaba hacer las guardias nocturnas de los viernes y los sábados, que eran los días con mayor flujo de clientes.

Una de esas noches estaba cobrándole a uno de ellos cuando vi venir a la camarista; cuando una camarista venía a decirme algo, nunca era nada bueno. Desencajada y tartamudeando, se acercó a mí con toda prisa. Por su palidez y porque no me podía explicar lo que había pasado, me imaginé que se trataba de un muerto o dos.

Me jaló del brazo.

—Venga joven, venga usted mismo a ver.

Mientras la seguía me iba preparando para lo peor: sangre, órganos o alguna guarrada.

Me quedé tieso en el umbral de la puerta mirando el cuarto.

Mi familia siempre ha tenido predilección por los negocios raros, casi con un tinte de patéticos. Mi tatarabuelo fue el taxidermista de la región de Toledo, allá en su España natal. Eso de la taxidermia se me hace tan raro como embalsamar cadáveres. Mi bisabuelo, carpintero, se dedicaba a construir ataúdes. Como con ese negocio le fue bien, luego puso una funeraria, misma que heredó mi abuelo, quien además de administrarla se encargaba de vestir y maquillar a los muertos para el funeral. Pero como para su mala suerte tuvo que enterrar a casi todos sus amigos y familiares durante la Guerra Civil, decidió venir a América.

Instalado en el nuevo continente, con los ahorros que trajo producto de la venta de la funeraria, puso un motel de paso a las afueras de la ciudad, por la carretera panamericana camino al Chamizal, entre lo suburbano y lo rural.

Les decía yo que les gustaban los negocios peculiares. ¿Por qué no mejor poner una panadería, una tienda de abarrotes o una ferretería? Mi padre heredó aquel dichoso motel y en lugar de cambiar de giro, decidió ampliarlo y construir más habitaciones.

En el motel los clientes entraban directo hasta el garaje de la habitación. A mí me tocaba enfilarlos para asignarles la que les correspondía y acercarme al auto para cobrar. Al principio me aproximaba muy tímido, como si sintiera vergüenza por lo que ellos fueran a hacer, pero después de unos meses ya le había agarrado gusto al oficio. Perdí todo pudor y pena.

Me acercaba al auto, me asomaba adentro casi metiéndome por la ventana, los miraba directo a la cara y les decía el precio como si fuera una sentencia, con desfachatez y seguridad como si a eso me hubiera dedicado toda la vida. La paga era poca o a veces nada y decidí que podría ganarme unos pesitos extras si sabía analizar al cliente. Teníamos una tarifa fija de fin de semana y otra para los días de la semana. Yo veía la cara de los 'huéspedes' y les subía el precio de la habitación de forma moderada o exorbitada según lo que imaginaba iba a ocurrir en el cuarto.

Pocos clientes regateaban, algunos porque la calentura los hacía querer cerrar pronto el trato y otros porque quizá les carcomía la culpa y creían que ese era el precio que debían pagar. Sólo a las parejas jóvenes les cobraba el precio real. Se les veía que eran noviecillos con las hormonas arrebatadas, buscando un poco de privacidad, y me identificaba con ellos.

Al principio era tan precaria mi educación sexual y tan poco lo que había avanzado en el tema con las dos únicas novias que hasta el momento había tenido, que no me imaginaba todas las variantes que el sexo podía tener. Lo fui averiguando asomándome a los carros, agudizando mi oído y preguntándole al encargado de mantenimiento, que me aclarara muchas cosas, ya que a veces el número de individuos o su posible correspondencia no me cuadraba. También me ilustraron los comentarios y reportes de las camaristas.

—Uy, joven, lo que hemos visto y aprendido aquí. Ni se imagina lo que uno puede llegar a ver. La imaginación a veces se queda corta.

Mi forma de entretenerme en esas noches frías de cobrador a la intemperie era imaginarme lo que los clientes harían, después de pagarme y entrar a la habitación con garaje. Comprenderán que en un motel de estas características pasa de todo y se ve de todo. Llegaban viejos con jovencitas, viejas con jovencitos, hombres de todas las edades con hombres de todas las edades, mujeres con similar espectro. Diferentes variaciones de tríos y grupos, a veces pares y otras impares, a los cuales les cobraba excesivamente porque eran más para dividirse la cuenta y además dejaban un desorden terrible. Una vez llegó uno que hasta entró con su perro.

Aprendí a diferenciar quiénes eran amantes estables, quiénes amantes ocasionales, quiénes estaban pagando por amor, quiénes estaban pagando por algo con su amor. Quiénes venían a cumplir fantasías o perversiones y quiénes a desfogar una calentura del momento. Me volví un experto barómetro de las pasiones.

A los que nunca entendí fue a los que venían solos a pasar la noche y dormir. Hay otros hoteles para eso y mucho más baratos. A esos les cobraba triple tarifa. Si me iban a ocupar la habitación por toda la noche, tenían que pagar por los tres turnos de ocupación que iba a perder. Había quienes pagaban sin protestar el sobreprecio. Me imagino que les gustaba oír los gemidos y gritos de los otros, o que eso les arrullaba.

Hubo una vez un tipo que se quiso suicidar. Nos puso en aprietos con la policía y la alcaldía nos quiso cerrar la operación. Tuvimos que pagar varios sobornos para seguir abiertos y nosotros ni culpa teníamos de que ese individuo hubiera escogido nuestro motel para morir.

Ni qué decir de las cosas que se encuentran en las habitaciones. Les podría dar un largo listado de los objetos más bizarros que me han traído las camaristas, algunos los tengo que guardar por si se les ocurre venir a reclamarlos. A lo mejor debería acumularlos todos en una colección exótica y, para seguir en esto de los negocios extravagantes, abrir una galería "de las cosas extrañas que se encuentran en un cuarto de hotel". Pero eso es otra historia.

Esa madrugada, lo que vi me dejó boquiabierto. Empecé a caminar despacio, de un lado para otro inspeccionando todo el cuarto. No había sangre ni órganos ni ninguna guarrada. El colchón estaba en el piso, las cobijas perfectamente dobladas. Las patas de la cama abiertas, una a cada el lado del colchón, como partes de un descuartizado. Sobre las sábanas estiradas, tan lisas que parecían recién planchadas, había en diferentes hileras tuercas y un montón de tornillos, acomodados de una forma minuciosa desde el más grande hasta el más pequeño.

El cuarto estaba completamente desarmado. El último huésped había sido un hombre que entró solo. Lo recordaba porque le cobré la tarifa triple. Sólo vi su perfil, nunca volvió a mirarme de frente. De nariz aguileña y labios delgadísimos, extendió su mano con el pago en efectivo y me detuvo cuando quise darle el cambio. Los dedos eran largos, huesudos y las uñas perfectas y redondas.

Aquel hombre había desatornillado todo lo posible de desatornillar en aquel cuarto: las bisagras de la puerta del baño, los interruptores de la luz, las manijas del lavamanos, las lámparas, las gavetas de las mesas de noche, el foco del techo, las patas de la base de la cama, el monitor del televisor y hasta el control remoto.

La camarista se agachó queriendo armar aquel rompecabezas.

—No toque nada, Chela, luego le voy a pedir a Juan que arme todo de nuevo. Vaya a seguir con lo suyo. Yo cierro el cuarto, igual no podemos usarlo ahora.

Me quedé contemplando la habitación. Lo que veía me parecía obsceno, aberrante. Me perturbó tanto como aquella vez que vi al hombre ensangrentado, que se cortó las venas. Con razón Chela casi no podía hablar.

Intuí al hombre, sentí su presencia, casi lo pude oír respirar a mi lado. Cerré los ojos y vi sus manos meticulosas y precisas, concentrado, trabajando con la exactitud de un relojero.

El silencio del cuarto me angustió más que si hubiera oído gritos o llanto. Dicen que todo tiene una energía. Allí los objetos tenían una potencia palpable. Pude percibir entonces su vibra de miedo, de dolor, de verse violentados e indefensos. La atmósfera estaba enrarecida.

La habitación olía a cloro, como huelen todas las habitaciones del motel antes de ser usadas. Para nuestros clientes, ese olor es garantía de limpieza. Después es substituido por los olores de sus cuerpos y de sus secreciones. Este cuarto seguía oliendo a cloro, el olor del huésped no se había impregnado y ese aroma hacía todavía más terrible la escena del cuarto desarmado.

Yo pensaba en cómo volver a poner todo en orden, pero me traicionaba el hueco que se me agrandaba en el estómago. Mi saliva, abundante, pastosa y amarga como si quisiera vomitar. El cuarto blanco, impecable y desarmado se tornó oscuro, como si hubieran apagado la luz.

Terminé la jornada enojado y de mala gana. Todos los que trabajábamos en el motel nos sentíamos extraños, aunque en realidad no había pasado nada tan grave. Por lo menos no hubo grandes destrozos, ni muertos ni heridos; sin embargo, teníamos un mal sabor de boca. Nos mirábamos sin poder decir nada, sin poder expresar esa desazón.

Mientras manejaba al amanecer, la imagen del cuarto desarmado seguía en mi cabeza. Tenía un sentimiento desagradable de ansiedad y desolación. El cuarto había sido violado y yo había presenciado la violación.

Trataba de encontrar los posibles móviles que habían empujado a aquel hombre a hacer eso. Lo imaginé como aquellos asesinos en serie de las películas, abriendo con sumo cuidado su estuche de destornilladores de todos los tamaños: los planos, los de cruz, los más pequeños. Esos destornilladores equivalían a sus cuchillos, con los que descuartizaría a sus víctimas. Ese hombre, aunque no le hubiera hecho nada a nadie, era un criminal en potencia, una mente perversa.

Al llegar a casa, después de hacer mis rituales nocturnos, acostado en mi cama, daba vueltas de un lado para el otro sin poder conciliar el sueño. Acomodaba la almohada de diferentes formas, me quitaba y ponía la cobija. No podía sacarme de la cabeza la imagen de aquel cuarto desmontado. Así que decidí resolver el misterio.

A pesar del cansancio, me levanté, fui al garaje y busqué la caja de herramientas. Tenía que saber qué posible placer oculto se puede sentir al usar de forma frenética el destornillador.

ABANDONADOS

HERIBERTO MORENO

Los veo a todos desde mi silla. Rostros brillantes, exaltados, algunos sonrientes. Todos atentos a mis respuestas. Una mujer, que no cabe en su propio traje por lo ceñido que está a su cuerpo, defiende con rabia las bondades de su oferta. Yo había tenido tantas veces que lidiar con comités de contratación que con solo ver a cada uno de ellos —personajes tan parecidos en sus formas de trabajar, en las promesas que saben incumplir, en sus excesos por ser agradables— siento repetir una y otra vez la misma historia. No me importa estar allí, oyendo sin oír, pretendiendo empatía, mirando a los ojos como prueba de interés y entendimiento, respuestas automáticas y convincentes, mentiras sin pudor. Al final del día, en esta empresa como en muchas otras, las decisiones se toman basadas en otros criterios, otros intereses. Ya había recibido instrucciones de mi jefe de a quien tendría que contratar. La reunión no es más que la pantomima de las buenas practicas. Soy mercenario, ejecuto órdenes, y una de ellas es sentarme con los perdedores, con los que luchan por una oportunidad. Termino la reunión con promesas. Me escabullo y salgo por un lado.

Regreso a mi oficina. Levanto el teléfono para informar a mi jefe que la reunión ha finalizado, que solo queda redactar la carta y proceder de acuerdo con sus instrucciones, mi misión mercenaria ha concluido; les he lavado la cara a todos para mostrarlos lindos y pulcros. Escribo el mismo mail que envió cada mañana desde hace treinta días con copia a todos: No he de regresar en la tarde. Sobre mi ordenador en la parte superior izquierda un *post-it* amarillo, tan brillante como los rostros de aquellos en el salón, con una nota que he escrito hace pocos días: Mamá muere.

El sol bogotano pica. Entra con fuerza por el ventanal que abarca desde el piso hasta el techo y deja ver la carrera séptima. Es imposible acostumbrarme a esta habitación. A pesar de la luz que entra al medio día, siento en la periferia una oscuridad que hace casi todo invisible. Me suelto la corbata, dejo la chaqueta sobre el sofá. Como el niño que soy, busco acomodo al lado de mamá. Bajo la baranda de la cama, me acurruncho como pueda, siento su frío. ¿Cómo estás, mami? No me responde. Sus ojos están abiertos, no se despegan de la ventana. La piel de su rostro se ha estirado, parece de cera; sus mejillas y nariz están tostadas, son como finas cáscaras de hojaldre. Le doy un beso en la frente. Siento el calor de la habitación, del sol que pega con fuerza y que se neutraliza con su cuerpo frío.

Estando a su lado intento entrar en ese territorio, interior, profundo, que ha sido nuestras vidas. El ventanal con vista sobre la carrera séptima me ayuda para estar en el lado de los recuerdos. Nosotros, solo quedamos nosotros. Papá y la niña han desaparecido, años sin saber de ellos, veinte para ser preciso. Los mismos años en los que me he condenado a una oficina, una vida atrapado en pasillos y salas de junta. Trabajar para sobrevivir al dolor, trabajar tanto y con tal empeño para no sentir. Atrás habían quedado los días cuando salíamos todos a caminar, cuando a la niña le compraban globos que dejaba escapar con facilidad quedando enredados en los cipreses o pasando por arriba de los edificios. Y la carrera séptima siempre allí. No había día que no la camináramos de ida o regreso a casa. Y una mañana, que tenia que ser como todas las demás, papá llevando a la niña a la escuela, saliendo de casa, cruzándonos por última vez un 'buen día a todos'. Desaparecidos. Y los meses pasan. Y yo dejo mis estudios y con mamá emprendemos una búsqueda sin sentido. Uno más, un profesor, un agitador, un mamerto. Lo desaparecieron por mamerto, decían a nuestras espaldas; un padre que con su hija rumbo a la escuela no regresa, eso es todo lo que sabemos. Con la ausencia y con el dolor todo cambia. De papá me queda su voz; 'asegúrate que a tu hermanita le den los mismos derechos que tenemos los hombres, en este país es difícil ser mujer' me decía. 'Estudia para que entiendas lo que es vivir en estos tiempos en donde el dinero y unos pocos mandan'. Algunas veces he pretendido ser lo que fue papá. Me imagino entrando a salones de clase, redactando propuestas, convocando a marchas, convenciendo a incrédulos con sus ideas. Imagino ser papá para no verme como parte del sistema que él tanto criticó. Así, imaginando quien pude ser, alivio lo que ha sido mi vida.

Con los años me convertí en el empleado que es exaltado por su fortaleza y capacidad de trabajo, convertido en una máquina de hacer riqueza. 'Sin su aporte incondicional esta empresa no estaría donde está' dijo mi jefe un día. Veinte años viviendo de una ocupación disfrazada. Con mi propio tormento aumentaba mi propio saber. Experto en la mecánica de los negocios, ocupado, distraído, sonriendo como un fantasma. Esperando una verdad, un perdón y reconciliación. Con dinero, pero abandonado. Lo único que nos consuela después de todo, la única recompensa que puede llenar de nuevo —así sea un poco— nuestra existencia, es la verdad, aun podemos pensar que por lo menos la niña está con vida; con la verdad se apacigua el desasosiego, se abona el alma para el perdón. Mamá me decía: 'Su papá y la niña se han ido a otro continente, a un país donde ahora mismo es de noche y aquí de día. En donde se hacen otras cosas y la comida sabe mejor. Ellos han de ser felices allá. Quedamos nosotros atrapados en esta ciudad, hijo, solos, íngrimos solos, abandonados, rotos, solos tú y yo'.

Es verdad, hemos estado abandonados, le digo a mamá. Se que me escucha, se que aún sus ojos están abiertos. La luz de la tarde es más tenue, por un momento siento que todo esto se lo he hablado. Lo único que oímos desde aquí es el murmullo de la calle, pero siento en realidad que mamá ocupa mi mente, no ha habido una conversación, mamá no habla desde que esta aquí. Junto a mí es como si se conectara a mi pensamiento o como si yo no existiera más que en su mente.

En ese espacio extraño en donde no siento que sea yo, oigo de repente un golpe en la puerta. No espera anuncio y entra. Es un hombre, un doctor, se presenta como parte de la unidad de paliativos. Me reincorporo y lo saludo. Yo no sabía que era un médico paliativo hasta cuando me llamaron a la oficina días atrás para decirme que mamá no respondía al tratamiento, que estaba en un espiral en descenso hacia la muerte, (Mamá muere, escribí en el *post-it*) que le asignarían un paliativo.

Habíamos dado por tanto tiempo la pelea; habíamos hecho de todo: consejos de especialistas, viajes a Houston, ausencias en el trabajo, regresos frustrados a Colombia, medicinas alternativas; no había más de dónde, no podíamos más. Al colgar averigüé de dónde viene la palabra Paliativo, del latín *pallium*: manto o cubierta. Me pareció acertado su origen. Además, ¿Que habíamos sido nosotros?, ¿no fuimos acaso esa manta, ese abrigo en donde nos refugiamos ante nuestro dolor?

Sí fuera fácil ordenar lo que tengo en la cabeza, sentarme a escribir el presente, pero no es así. Hago un esfuerzo. La miro. Me veo en ella, se desvanece poco a poco.

El paliativo ha sugerido tenerla en casa. Después de un mes mamá regresa. El seguro ha dispuesto de dos turnos de enfermeros, equipos y medicinas; me han felicitado por tener una póliza que cubre la totalidad del servicio.

No he regresado a la oficina, desde que mamá salió de la clínica trabajo en casa. 'Es un privilegio que pocos tienen', ha escrito mi jefe.

Que difícil es negociar con los asuntos de nuestra vida. Comencé como aprendiz veinte años atrás y hoy siento que he de comenzar de nuevo. ¿Entender la propia vida como si fuera un negocio? Yo solo he aprendido a negociar, pero no sé siquiera cómo administrar una nueva vida. Mi nueva vida ha de ser otro contrato, otra negociación. Si, he de comenzar de nuevo. Redacto mi carta, que mi renuncia sea un alivio. El problema consiste en cómo. ¿Qué significa en realidad vivir? ¿Qué ocurre cuando nos perdemos, cuando estamos abandonados?

Veo cómo, poco a poco, la muerte llega y me sonríe. El paliativo llama, cuenta las horas; del seguro llaman y me felicitan de nuevo por ser tan precavido, por ser buen hijo. Conozco esas palabras, son unos malditos mercenarios, yo soy, o fui, uno de ellos. Mamá muere y una parte de mi muere con ella. Papá solía decir: 'Solo donde hay muerte hay resurrección'. No puedo habitar dos mundos al mismo tiempo, tendré que dejar morir uno de ellos para nacer de nuevo. El rostro de mamá luce apacible, de nuevo la extraña sensación, un estremecimiento al sentir que mi conciencia estuviera en la de ella, de nuevo soy parte de su mente. Su rostro apacible es afirmación. No regresare al trabajo, le digo. Más bien quedémonos aquí, madre, habitemos los días que nos quedan, abriguémonos, evitemos todo lo que nos produzca cansancio. Pasará pronto, ha sido lento, pero pasará. Atrás quedaran las visitas a la clínica, la morfina, las escaras. Pronto los enfermeros con sus equipos se marcharán, el teléfono dejará de repicar. Pronto estarás acobijada, el abandono también cesará.

Duele estar en el lado de los recuerdos. Busco las instantáneas que mamá dejaba tomarse sobre la carrera séptima. Esos fotógrafos se han ido. Por esos días se paraban frente a los peatones y disparaban, era fascinante cómo los rostros entre sorprendidos y alegres, en movimiento, quedaban registrados. Quien quisiera su foto tenía que pasar por los estudios, con la tarjeta en mano que les daba el fotógrafo, y reclamaban lo suyo. Mamá me decía que a ella la fotografiaban todos los días, pero solo compraba las fotos de los días en que estaba irritada porque su rostro se veía más bello con la amargura. Hago un esfuerzo. Cuesta entender que estoy solo. He de irme a ese otro continente, al país donde ahora mismo es de noche y aquí de día. En donde se hacen otras cosas y la comida sabe mejor. En donde he de encontrarme con mamá, papá y la niña, en donde podríamos ser felices.

El bullicio aumenta sobre la carrera séptima, los pregoneros anuncian el menú del día y el tráfico se condensa, todo es mas pesado. A mamá le hubiera gustado estar aquí. Busco un café. En mi cabeza se cruza los rostros de la oficina, me han llamado. ¿Tendré que llamar yo a alguien? No se a quién, familiares lejanos, tal vez, no he pensado en ellos por años. ¿Y el amor? ¿ por qué pienso en el amor? ¿Ahora que estoy solo busco un espacio para el amor? De la funeraria preguntan si voy a optar por la cremación. Que la abrace la tierra, les digo, y que desde allí renazcan nuevas flores.

LA ABUELA GENOVEVA

MACKY OSORIO

Nunca quise a mi abuela y el sentimiento era mutuo. La conocí al regresar al país con mis padres cuando yo era una adolescente y me inspiró un rechazo inmediato. Era una mujer gorda y descuidada con unas enormes manos ásperas cubiertas de manchas oscuras obtenidas durante largas jornadas de trabajar en el campo. No sabía qué edad tenía en realidad, pero para mí era una "vieja cansona e ignorante" con la que no tenía nada que compartir. Casi no sonreía. Se vestía de negro, con zapatos sin tacón y se enroscaba el pelo en la nuca. No había ido a la escuela y todo lo que sabía lo había aprendido "por los caminos de la vida". Hablaba con "decires y refranes", que a veces me hacían gracia, pero casi siempre me avergonzaban cuando alguna de mis amigas estaba de visita.

Criada en el campo, se había casado casi una niña con un campesino de una finca vecina, el cual había muerto poco después en una pelea en el pueblo. Casi nunca hablaba de él, pero cuando lo mencionaba se le llenaban los ojos de lágrimas y se le quebraba la voz.

Había "parido cinco hijos y el Señor en su sabiduría infinita solo le había dejado dos. Que Dios los tenga en su gloria" decía a menudo. Era de misa diaria. De su cuello colgaba una cadena con varias medallas y un escapulario con una ajada foto de Pascual, su marido. Por la tarde rezaba el rosario en la cocina y antes de terminarlo cabeceaba hasta quedarse dormida, para luego despertarse sobresaltada a continuar las avemarías. A las ocho se iba a la cama, ya que "ella se acostaba con las gallinas para pararse temprano, porque a quien madruga, Dios le ayuda".

Aunque contaba poco de su infancia, mi madre decía que la abuela era muy estricta, trabajaba muy duro en el campo y no tenía mucho tiempo para ocuparse de las hijas. Siendo muy niñas las había enviado a la ciudad con unos familiares para que se educaran y fueran a la escuela. Nunca volvieron a vivir en el campo.

La abuela se quedó en la finca hasta que pudo trabajar, pero ahora, ya anciana pasaba temporadas en las casas de las hijas. Cuando le tocaba estar con nosotros, casi no nos hablábamos y nos evitábamos en lo posible. Creo que ninguna sabía cómo comportarse con la otra. Si coincidíamos en la misma habitación solo las dos, se imponía un incómodo silencio, del cual yo me escapaba huyendo a mi cuarto lo más rápido posible.

Le gustaba sentarse en la cocina a conversar con la señora del servicio. De vez en cuando preparaba alguna comida sencilla, que para hacer honor a la verdad sabía delicioso, mucho mejor que cuando mi mamá se acercaba a la estufa.

Cuando la abuela falleció, después de una corta enfermedad, yo ya no vivía en la casa, me había mudado para otra ciudad a terminar mis estudios y aunque venía a menudo, siempre era por corto tiempo. En el funeral había una cantidad de gente que yo no conocía, venida del pueblo donde la abuela había nacido y vivido gran parte de su vida.

Después de los servicios fúnebres me senté al lado de un señor mayor quien se presentó como un antiguo alcalde del pueblo.

—Doña Genoveva era una gran mujer, fuerte y de armas tomar. Todos la respetaban y hasta le tenían miedo. Aunque yo era el alcalde y ya bastante mayorcito, no me hubiese gustado atravesármele ¡No señor! Hizo historia en el pueblo después del asesinato de don Pascual —sonrió ante mi expresión de incredulidad. Ella no permitía que se tocara el tema y usted seguro no sabe que pasó, pero ahora que ya no está, le voy a contar la historia. Todos en el pueblo sabían lo que había pasado, pero sin mucha palabra decidimos guardar silencio. Tanto el alcalde, como el jefe de la policía y hasta el cura entendieron que la doña no podía ir a la cárcel y que lo que había hecho, estaba más que justificado. El Señor seguro la hubiese perdonado.

Se santiguó e hizo una pausa como para calibrar mi reacción.

—Pero por favor sígame contando. Yo nunca había escuchado esa historia. Y mi sorpresa era genuina.

—Doña Genoveva y Don Pascual, que en paz descansen, se conocían desde niños y ambas familias estaban muy contentas con los amoríos. Se casaron muy mozos cuando ella tenía 15 y el 17. Fue una gran parranda el casorio. Hubo fiesta por tres días, con lechona, ternera a la llanera, música y aguardiente. Después que se casaron, entre los dos construyeron un ranchito nuevo allá arriba en la colina. Ella no bajaba mucho al pueblo, pero cuando lo hacía se le veía rozagante y feliz. La familia crecía, aunque algunos de los críos se murieron al nacer o muy chiquitos. Un día Don Pascual había ido al pueblo vecino a comprar unos novillos y Doña Genoveva se había quedado sola en la finca. Cuando él regresó por la noche, la encontró tirada en el piso toda ensangrentada, medio desnuda y entre lamentos le contó que un hombre a caballo había llegado a la casa preguntando por una familia que ella no conocía. Mientras ella le preparaba un agua de panela, el desgraciado se le echó encima e hizo lo que quiso. Seguro ella dio la batalla y el tipo no debió haber salido muy bien parado, pero al fin consiguió lo que quería y se fue. Durante tres días los pobres no supieron que hacer, pero pudo más el mal estado en que quedó Doña Genoveva, que la vergüenza y bajaron al centro de salud. Después no se les veía mucho por el pueblo, hasta que un día en una de las idas al mercado, Doña Genoveva vio al desgraciado y se puso a temblar y a llorar. Don Pascual supo en seguida quien era él, se le tiró encima con toda el alma. Pelearon como animales embravecidos. El mal nacido era más grande y fuerte y aun cuando saco un puñal, nadie se atrevió a separarlos. Le enterró el cuchillo una y otra vez hasta quedar ambos tirados en el suelo. Don Pascual no se movía, pero el otro comenzó a levantarse y fue ahí cuando Doña Genoveva le arrebató la pistola a uno de los policías que había llegado a ver qué pasaba y se la descargó completica al infeliz. Después del entierro de Don Pascual, ahí si casi no la volvimos a ver. Ella regresó a la finca y con ayuda de sus hermanos continuó manejándola y criando a las hijas.

El alcalde se quedó en silencio y cuando vio las lágrimas que corrían imparables por mis mejillas me abrazó con mucho sentimiento. Fue la primera vez que lloré por mi abuela, sintiendo un profundo dolor por no haber querido conocerla mejor.

AGUA

LOURDES GONZÁLEZ

Emilia flotaba y flotaba. Le pareció que la envolvía el líquido amniótico dentro del vientre de su madre. Tenía que ser porque sentía que se deslizaba dentro de él con suavidad. No abría sus ojos, pero el frescor del líquido rozaba su piel y ella daba vueltas y más vueltas. De pronto, un fuerte olor a sal la llevó a la playa. Eso era, el mar. No estaba en la barriga de su mamá sino en el mar, y su tío Nicolás la sumergía para que perdiera el miedo al agua y aprendiera a nadar. Casi podía sonreír. Ah, qué tío este que iba metiendo de cabeza uno a uno a todos los muchachos para que le perdieran el miedo al mar. Ellos se divertían, zambulléndose y riendo a la vez que sentían el frescor del agua.

—Nicolás, está bueno ya. ¡Deja a los niños! —gritaba la tía Teresa—. ¡Qué bruto eres! Un día vamos a pasar un susto por esa manía tuya de empujarlos al agua.

Emilia reía y flotaba. Se asustaban un poco todos, pero al final era un juego y lo disfrutaban. Ella seguía sin abrir los ojos, pero podía ver el fondo del mar. Lo había hecho muchas veces. Era hermosa la arena blanca, blanquísima, con algunas sardinas pequeñas que siempre se acercaban a ellos y les daban cosquillas al rozar sus piernas. Algún cangrejito corría de repente por la arena y desaparecía abriendo un hoyo.

—Tiene que estar por ahí, sigue buscando... —gritaba alguien, pero Emilia no escuchaba estas palabras. No escuchaba las voces ni los gritos de las personas que buceaban tratando de encontrarla. Ella seguía deslizándose en una danza lenta y silenciosa hacia el fondo, mientras las imágenes, las sensaciones, iban y venían tocando su piel y su espacio.

—Al hombre lo encontramos, pero ella no aparece —comentaba desesperado un oficial—, cayó por ahí, no puede estar lejos.

Emilia veía a su tío Nicolás sonriendo delante de ella mientras le tendía una mano para alzarla.

—Saca ya a la niña, por favor —gritaba histérica su tía. Pero ella jugaba en el agua como si fuera un pececillo y se negaba a salir.

Le llegó otra vez la sensación de estar en el vientre materno rodeada de aquella complicidad sin palabras. Su madre se acariciaba la barriga y ella percibía el contacto lo mismo que un pez cuando deslizas el dedo por el cristal de la pecera y él se siente tocado y te sigue nadando desde el otro lado del vidrio. Emilia sentía la presencia, la vibración de aquellas manos.

Y fueron precisamente unas manos, otras manos, las que la arrancaron de ahí. Y de repente todas aquellas sensaciones se le fueron quedando lejos y la subieron a la superficie.

—La encontré. Pero creo que no respira. Hay que darle oxígeno enseguida —gritó el hombre que la subía.

Hubo exclamaciones de alivio entre los que estaban presente. La subieron a un bote y comenzaron a tratar de reanimarla, a darle respiración boca a boca para ver si reaccionaba. Una y otra vez trataban de hacer entrar el aire en sus pulmones. A su amigo Marcos, quien manejaba el motor en el momento del accidente, hubo que aguantarlo porque estaba desesperado por acercarse a ella. Envuelto en una frazada y con una herida en la cabeza casi lloraba mientras repetía su nombre.

Él había ido a recogerla para ir juntos a un concierto de rock en el estadio. De regreso, tarde ya en la noche, tomaron una curva demasiado rápido y el motor se salió del camino y cayó al mar. Los dos se habían golpeado la cabeza, pero Emilia perdió el conocimiento mientras caía.

—Emilia... Emilia... —llamaba Marcos.

Ella estaba lejos de ahí y era otra voz la que oía.

—Emilia... Emilia, ven que se hace tarde.

—Es que no encuentro mi traje de baño, papi.

—No importa. Allá con tus primas seguro te prestan algo. ¡Vamos!

Ahora iba en el auto con sus padres por la autopista. Había bajado el cristal de la ventanilla y podía sentir el aire azotando su cara. El viento y el agua eran como sus signos vitales. Abría la boca y el aire penetraba en ella y llenaba sus pulmones con fuerza, casi hasta ahogarla.

De pronto comenzó a toser y a expulsar parte del agua que había tragado. Hubo una fuerte reacción de alivio entre los que la rodeaban. La cubrieron enseguida con una frazada para trasladarla a la ambulancia.

—Menos mal, por Dios —exclamó Marcos—, perdóname Emilia, fue mi culpa... fue mi culpa.

—Por favor —lo tomó del brazo uno de los oficiales—, vamos para el hospital enseguida. Déjela, ¿no ve que está inconsciente? Y usted sostenga esto con fuerza en su cabeza para que deje de sangrar.

Los llevaban a ambos a Emergencias y a Emilia le habían puesto oxígeno. Ella seguía inmersa en aquellos sueños. Había mucha lluvia, una de esas tormentas tropicales que desbordan los drenajes, pero ella corría bailando por toda la casa.

—Mira mami, agua... qué rico. ¡Me encanta la lluvia!

De pronto una catarata inmensa echó abajo la puerta y Emilia se vio arrastrada por una ola que la separó de su madre y la hundió sin darle tiempo a nada. Apenas respiraba.

—Mamaaá... —gritaba mientras la corriente la llevaba cada vez más lejos—. ¡Mamá, mamá! —lloraba al tiempo que trataba de incorporarse y abría los ojos aterrorizada.

—Emilia, estoy aquí— le susurraba Marcos.

Pero los ojos de ella iban más allá, miraba sin ver con la angustia apretándole el pecho y ahí, en ese instante fue que sintió dentro de su cabeza el chirrido imparable de los frenos del motor. En tan solo una fracción de segundo revivió las vueltas, y su grito, antes de salir despedida por el aire, se confundió ahora con este otro grito lanzado desde adentro de la ambulancia.

ULISES

LÁZARO GUZMÁN

"Solo vamos a mirar cómo se van", me había dicho Ulises temprano en la mañana. Cojímar quedaba a 45 minutos pedaleando. Teníamos dos bicicletas, que en aquella Habana de 1994 era nuestro transporte más confiable, pero él insistió en usar nada más una.

Yo fui atrás sentado en la parrilla. En las subidas lo ayudaba empujando con mis pies sobre el asfalto. A mitad de camino le propuse intercambiar puestos, pero mi hermano respondió que necesitaba ese entrenamiento. "El yuma, cojones" le escuchaba decir por lo bajo entre algún que otro resoplido. Como si EE.UU. estuviera al vencer la próxima pendiente.

Yo estaba flaco y, aunque de menor edad, era mucho más alto que él. Su espalda era ancha con músculos marcados, fruto de tardes en la azotea haciendo pesas con cualquier hierro que encontrase. Sus ídolos eran Arnold Schwarzenegger y el cubano Sergio Oliva, el Mito. Tenía recortes y *posters* en el cuarto y solía contarme de la rivalidad entre ambos por ganar el título del Mister Olympia en 1970.

Siempre esperaba los paquetes que nos mandaba nuestro padre desde New Jersey, con revistas de fisiculturismo y ropas deportivas. Una vez le envió una camiseta con la bandera americana estampada, pero se la decomisaron; en el sobre pusieron una nota que no se entregaba por motivos ideológicos. Mi hermano alegó que ni siquiera estaba completa la bandera, que era un símbolo *hippie* con los colores de las barras y las estrellas, pero no logró convencer a los del correo, que se defendieron citando el reglamento de la aduana.

Papá era camionero en EE.UU. Mi hermano le decía al hablar por teléfono que quería reunirse con él. Yo hubiese preferido tenerlo junto a mí y no, en cambio, saber de él solo por fotos. Quizás porque cuando se fue en 1980 yo era muy pequeño y apenas lo recuerdo.

Casi al llegar a nuestro destino decidimos hacer el último trayecto a pie. Cojímar es famoso por ser el pueblo pesquero que inspiró a Hemingway en su novela *El Viejo y el mar*. Imagino que en esa época el puerto fuese pródigo en barcos y botes de pescadores; ahora, en cambio, estaban ancladas pocas embarcaciones despintadas.

Vimos lo que parecía una procesión con cantos a Yemayá, unos hombres cargaban una embarcación casera, y rodeados de familiares y vecinos emprendieron el rumbo hacia la costa.

Entonces era común que se construyeran balsas con lo que se pudiera encontrar; incluso hasta con maderas del propio hogar.

Un año antes, mi hermano y unos amigos hicieron una balsa. En esa época era ilegal la salida del país, así que trabajaron a escondidas. Cuando la terminaron, alquilaron un camión que los llevó a playa El Chivo, donde yo me les uní. Llevábamos brújula, agua y raspadura de azúcar para el viaje.

Fue todo un desastre. Apenas nos alejamos en el medio de la oscuridad en el mar y las luces de la ciudad empezaban a ser cada vez más chiquitas, cuando la balsa comenzó a deshacerse.

Tuvimos que regresar y el último trecho lo terminamos a nado, pero al llegar a la costa nos esperaron los guardafronteras.

Nos detuvieron a todos. A mí me soltaron a los tres días por ser menor de edad, y también porque mi hermano se había hecho responsable. Estuvo 6 meses preso en el Combinado del Este. De la cárcel salió más fuerte, parecía *Terminator* en versión miniatura.

Recuerdo que una vez que fui a visitarlo a prisión me confesó que la miel se evaporaba, pues bajaba mucho de nivel en el pomo donde la tenía guardada. Yo reí pensando que alguien de su celda se la tomaba a escondidas.

Ya libre, consiguió empleo en una fábrica de tabacos y, por un momento, habló de salir adelante de nuevo. Lo había vendido todo para el malogrado viaje y ahora tocaba empezar desde cero.

El expediente que le abrieron nunca le iba a garantizar un buen trabajo.

De todos modos, nunca me planteó querer intentar la salida de nuevo. Hasta que llegó agosto del 94 y abrieron las fronteras. Sabía que ganas no le faltaban, pero no contaba con los recursos para armar otra embarcación.

Cuando llegamos a la costa, el mar estaba tranquilo con algunas pequeñas olas que rebotaban en los arrecifes. Dos hombres arrastraban con esfuerzo el cuerpo de un ahogado. La gente se aglomeraba alrededor con cierta indiferencia. Me acerqué y observé por primera vez la muerte de color verde y cabello ensortijado, de ropas desechas y cuerpo inflado. Una mujer gorda alzó la voz para decir: "Puede ser familia de cualquiera de nosotros". Entonces supe que esto no era juego y busqué a mi hermano. Seguí su vista perdida en el horizonte, la misma mirada obsesiva de cuando hacía pesas. Una embarcación improvisada estaba detenida cerca; al parecer, uno de sus hombres se había arrepentido a última hora y regresaba a la orilla. Desde la balsa gritaron que necesitaban uno más que fuera bueno remando. Ulises me abrazó y me dijo que esta vez sí llegaría. Nadó entonces hacia ellos. Los vi alejarse entre el oleaje que comenzaba a incrementarse. Recorrí con la vista el resto de la orilla y noté que otros balseros se aprestaban para salir, luchaban por vencer la marea y decidí ayudarlos a empujar la balsa. No sé si era el mar perfecto para irse o si sería cierto el rumor que cerrarían en cualquier momento las fronteras, pero cada vez más gente llegaba a la costa. Gente de todas partes o del mismo pueblo tal vez. Gente esperanzada y con ropas desechas. Gente cantando a los santos y con flores y con hijos pequeños. Estuve toda la tarde ayudándolos, empujando balsas y cantando con ellos.

Al caer la noche me senté en la orilla, entre restos de maderos y cangrejos escurridizos, a esperar.

NADA MÁS QUE MURMULLOS DEL MUNDO

DAVID DORANTES

Caminas con lenta pesadez frente a la Iglesia de San Pedro Apóstol y emprendes apenas la cuesta que lleva a lo más alto del peñón de Cimadevilla. Una repentina brisa gélida que viene del mar te golpea el rostro. Sientes el viento como una advertencia. Así debe ser el último segundo, piensas, frío y súbito. Lo tienes todo calculado. Te acomodas los audífonos y le das *play* al aparato de sonido que tu nieto te regaló por Navidades. Deberás hacer todo el recorrido hacia arriba justo en los treinta y tres minutos y cuarenta y ocho segundos con John Coltrane y su *A Love Supreme* como el *requiem* que escogiste para acompañarte. Una obra maestra que se grabó a una sola toma. Como debe ser la vida siempre. Todo a una sola toma. Sin repeticiones. Ni prueba ni error. Con la fuerza del primer impulso. Nada de arrepentimientos. Pero no predicas con el ejemplo. Llevas un mes haciendo el mismo recorrido domingo a domingo para que todo salga de acuerdo a lo planeado. Paso por paso. Matemáticamente. Nada puede salir mal. Sientes que sonríes cuando una niña pequeña que brinca jubilosa te rebasa por un lado. Lleva un enorme globo rojo. Su madre va tras ella a toda carrera por la cuesta. Sabes que le grita algo pero el saxofón en *staccato* no te permite escuchar nada más que murmullos del mundo. Las ves alejarse en una carrera que la chiquilla comanda con el brío que tienen los chavales en domingo. Reparas que la rapaza no lleva anudadas las cintas de sus zapatos deportivos. Tú mismo tuviste ese mismo brío en los años de la posguerra y justo en esa misma cuesta. Pero por aquel entonces no había globos rojos. Una lágrima escurre sobre tu mejilla y la espantas con la punta de la bufanda negra que te obsequió Esther. Maldita obsesión esa de los hijos por abrigarlo a uno.

Ya casi completas la primera parte del recorrido y todo va de acuerdo a lo planeado. Abajo las elegantes naves del club de yates se balancean sobre el agua que rompe contra su casco. La batería de Elvin Jones adorna aquel paisaje de un mar iracundo. El Cantábrico ha amanecido particularmente enojado. ¡Qué ganas de salir a navegar con La Galana! Mejor barco pesquero no tuviste. Era ella la que parecía embestir las olas con un desparpajo que ningún otro navío tuvo. Tú y ella eran la envidia de todo Gijón. Pero los cabrones de la oficina náutica ya no te dejan ponerte al timón. Desde que comenzaron los temblores, los olvidos, las ausencias, las monedas tiradas en las banquetas cuando te desvaneces, de repente todo se fue al carajo. Ahora La Galana la manda tu hijo que nunca tuvo buena mano porque no ama la mar como tú. Salió a su madre. Llegas justo a la primera curva antes de atisbar la cumbre. Palpas en la bolsa del abrigo. Sientes el sobre y la petaca de acero cubierta de cuero negro. Reservabas la bebida para el gran final pero el viento helado cala. Un largo trago de whisky te calma y emociona. El otoño debería de ser una amante pasajera. De esas que no se deciden a ser frías ni calurosas. Ahí están indecisas por meses y uno ya no sabe qué esperar. Un par de viejas que bajan a misa camino al templo te saludan con la mano. Sabes que hablarán de ti. Irán con su miseria a esparcir infundios de los cuales ya no te podrás defender. Qué más da. Las últimas casas quedan atrás. El gran prado te recibe y la enorme cosa esa de fierro retorcido y negro que llaman arte sigue ahí también. Elogio del horizonte dicen que se llama ese mamotreto sin sentido que estorba al paisaje del mar limpio e infinito. Tan hermoso que era todo aquello antes de que montaran esa chorrada. Total, no todo iba a ser perfecto, te dices en un susurro de contrariedad. McCoy Tyner pulsa al piano la línea melódica principal del *Salmo* de Coltrane que te sumerge, como siempre, en ti mismo.

Haces una pausa justo ahí con el piano de fondo para recuperar el aliento y caer en cuenta de repente que tú de niño no querías ser marino sino pianista aunque amaras a muerte el mar que rompía frente a tu ventana. Se lo revelaste a tu madre un domingo de verano justo en aquella cima que siempre has recordado mucho más verde. A collejas te arrancaron la vocación tu madre y tus tías. ¿El nene quiere ser pianista? te reprendió tu mamá mientras se zampaba otra croqueta de bonito en un bocado. ¿Y de dónde leches vamos a sacar un pianito para el Mozart maricón éste de los cojones?, dijo la tía Ágada entre un coro de risotadas. Al capear el temporal todavía tuviste el nervio de tratar de evitar el naufragio. Como Mozart no, como el Duque Ellington ese que echan en la radio los domingos por la tarde. El iceberg ya era insalvable. ¡Anda y encima se cree negro!, gritó Ágada hiriéndote y revelándote que el Duque fuera justo un negro como los que decían en la escuela que mataba Don Pelayo. No hay mal que por bien no venga. Mira por dónde, gracias a la malévola Ágada, después vinieron otros muchos negros más con esa furia incontrolable de su música perfecta. Coltrane el mejor de todos, sin duda, un santo varón.

Caminas entre tus cavilaciones de viejos músicos de jazz hacia el mamotreto metálico que bloquea todo. Oteas con la mirada y encuentras unas piedras de buen tamaño que te las acomodas en las bolsas del abrigo. Una ayuda extra no viene mal. Escoges la roca más pequeña para que sirva como pisapapeles con la dichosa carta en el sobre blanco. Sacas la ánfora y das un largo trago. Durante muchos días pensaste que justo en ese momento temblarías, temerías. Sin embargo estás más sereno y feliz que un pelicano en pescadería. ¿Por cierto que a dónde leches se han ido las aves hoy? No te has cruzado con las parvadas que pululan junto a los bajeles y sus desechos. De seguro viene un norte de esos con harto viento negro y los pajarracos ya han cogido resguardo en los montes arriba. Volteas un segundo para despedirte de tu pueblo y de tu gente. Descubres que estás más solo que las putas un domingo de resurrección. Una feliz coincidencia que vivas en una ciudad en la que casi nadie nunca despierta temprano los domingos. A lo lejos, en las pausas musicales, escuchas algunas voces y risas. Das cuatro pasos hacia el borde final. Allá abajo las rocas grises se cubren de espuma blanca en un compás pausado que Jimmy Garrison parece acompañar con su contrabajo. Qué feliz coincidencia que la música y el mar se confabulen a tu favor. Dios en su miserable eternidad por fin escuchó una de tus plegarias el muy bribón. Ya es la hora. Nunca has sido muy afecto a los gestos melodramáticos. ¿Dirás unas palabras o sólo saltarás? ¿Los brazos en cruz o plegados al cuerpo? ¡Coño qué más da!, gritas. Sin últimas palabras ni chorradas religiosas. Al mal gusto darle prisa. O algo así. El primer paso que das sobre la nada, con el agua allá abajo, te lo sacude una violenta racha de viento desde los dedos hasta la cadera por toda la pierna. Mejor así, piensas, con ráfagas de esas que engordan las velas. Justo cuando comienzas a mover la otra pierna para dar el segundo y último paso sientes un tirón en el abrigo. Un gran tirón que te desbalancea. Trastabillas a la orilla del risco. Ves cómo unos bultos de arena roja se despeñan. Volteas y miras a la niña que descubriste antes subir jubilosa por la cuesta. Habla pero no la escuchas. Coltrane remata el blues y termina el disco con su lánguida esperanza.

Entonces escuchas la voz de la chiquilla que te pide que le anudes sus zapatillas. Lleva un zapato en la mano. Su rostro está lleno de pecas, de pelo negro ensortijado y le faltan dos dientes al frente de una larga sonrisa. Tiene cara de ser una pilla traviesa. Corriendo detrás de ella viene su madre jadeando, con el globo rojo en la mano. Grita aterrada. ¡Ana no molestes al señor, ven para acá, por Dios! No, no es molestia señora, faltaba más. Andar por aquí es peligroso, uno se puede caer en un descuido. Ripostas sonriéndole a su madre. El corazón te late acelerado. Te agachas con mucho dolor en las piernas para acomodarle el zapatito a la pequeña. La niña observa curiosa tus manos arrugadas. Entreveradas de pecas y lunares negros. ¿A ver, Ana, cómo se dice?, pregunta con seriedad la madre ¿Gacias? pide autorización la pilluela. Luego se voltea para abrazarte y murmura acias en tu oreja. La madre la toma del brazo y le da el globo rojo que Ana recibe emocionada. Ambas se retiran con una sonrisa. Las ves alejarse. La madre va apurada tras la pequeña quien encabeza la carrera entre saltos.

¡Saltitos! Leñe que justo a eso has venido. A dar un salto. Hace poco que se te empiezan a olvidar las cosas. Sacas la ánfora otra vez y rematas el whisky peleón que te desgarra al bajar por la garganta. Acomodas la pachita vacía junto a la carta. Calculas que necesitas más piedras y llenas los bolsillos de adentro del abrigo con rocas firmes. Repites el camino hacia el borde en un trayecto de pocos pasos. Decides que te irás sin ver el mar. Debe ser doloroso morir viendo algo que tanta vida te ha dado. Así que con los brazos metidos en las bolsas del abrigo, para que los pedruscos no se salgan, te acomodas de espalda al océano. Poco a poco los talones te llevan hacia el borde. El corazón ha calmado su acelerada danza de percusiones. Tomas el aparetejo con la música y le das *play* nuevamente. Lo primero que lanzas es la cabeza. Luego los hombros. Todo es muy lento y muy rápido. No es cierto eso que cuentan. Toda tu vida no pasa frente a tus ojos antes de morir. Justo un momento antes de sentir cómo la primera roca cercena tu cuerpo ves el gran globo rojo que asciende errático, atrapado entre olas de viento, hacia el cielo. Entonces elevas anclas del mundo.

MALVA

ABIGAIL DUARTE

Indiferente a lo que pasaba a su alrededor, el autodenominado Joan, se admiraba ante el espejo, deslumbrándose a sí mismo por su inmaculada belleza. Su plumaje era digno, pensaba él, de un dios. Ninguno de los demás periquitos tenía el preciado color malva de las orquídeas del que hacía alarde sin modestia alguna.

Se sabía el favorito de Helga, aquella humana que se encontraba a su servicio en todo momento. Amaba cómo todos los días le ponía la Suite N°1 de Johann Sebastian Bach, bello nombre aristocrático que alguien como él merecía. Le había gustado cuando en una ocasión, se lo había oído mencionar al esposo de Helga, más bien mal pronunciarlo. Y optó por adjudicárselo.

Se creía un periquito de la realeza y, aunque le tenía cierto cariño a Helga y al hogar donde vivía, no entendía por qué estaba en una jaula rodeado de otros pericos y cotorras que a vistas eran inferiores a él. No sabía de dónde venía, pero para él, era evidente que algo extraño había pasado para haber terminado ahí.

No había día que Helga no llegara a murmurarle palabras de amor y versos de ilustres escritores. Éstos hacían la vida más llevadera, pero soñaba con esa vida de abolengo para la que él, sin duda alguna, había nacido.

Los demás periquitos y cotorras se reían de él y cada que podían lo molestaban. "¿Su majestad ya está listo para su alpiste?", "¿Está listo para que recojan su mierda?", "No sé éste de dónde saca que es da alta alcurnia, si nació aquí encerrado igual que nosotros", "Yo solo agradezco tener un lugar seguro donde vivir, ¿Qué más puede uno pedirle a la vida?".

Estos comentarios vulgares afirmaban la idea de Joan de que él pertenecía a otra clase. Si tan solo pudiera codearse con otros como él, su vida sería diferente. Los días, monótonos a más no poder se le hacían cada vez más tediosos. Desde su jaula alcanzaba a ver un poco del mundo exterior. Veía al sol salir y ocultarse, y cómo en ocasiones, un gato se acercaba tímidamente haciendo una reverencia continua mientras caminaba hacia la puerta de vidrio que separaba a Joan de su libertad. Eran estos momentos cuando pensaba para sí mismo: "¡Si tan solo pudiera salir al jardín a respirar un aire que no apestara y ver el mundo! ¡Más importante aún, que el mundo pudiera admirar mi belleza!".

Por lo general, Helga llegaba y espantaba al gato a escobazos. A Joan esto lo desconcertaba tremendamente. ¿No era su belleza digna de ser conocida por todos en su colonia? ¡Qué decía de la colonia, el país, el mundo entero!

"¡Qué desperdicio!", se le oía refunfuñar a menudo. "¡Que el mundo no sepa de mí!".

Tendría que ponerle un alto a Helga y exigirle que lo llevara al jardín. Estaba pensando en los trinos necesarios para transmitir su sentir, ya que al parecer Helga no era una humana muy inteligente y prácticamente nunca entendía lo que él le decía. Si le pedía el alpiste húmedo se lo traía más seco que una astilla, si le pedía que le recitara un verso, terminaba poniéndole música.

Joan se encontraba con estos pensamientos, viéndose claro en el espejo para asegurarse de que su belleza se viera realzada con sus movimientos, cuando comenzó a escuchar un zafarrancho entre los humanos. Helga y su esposo traían un pleito campal en donde se veían volar platos, papeles y hasta la escoba. Los pájaros estaban asustadísimos. Joan enojado de ver interrumpidos sus pensamientos, trinaba enfurecido hasta que se vio obligado a poner atención a lo que pasaba. El hombre manoteaba sin cesar, había salido al jardín y al entrar de nuevo a la casa dejó la puerta abierta. De manera brusca comenzó a abrir todas las jaulas donde estaban los pájaros. Joan fijaba la mirada en la puerta que daba al jardín de la casa, y cuando el hombre abrió su jaula vio la oportunidad que había estado esperando.

"¡Liberté, Liberté!", gritaba Joan.

Salió como alma que lleva el diablo. Al llegar al jardín, la luz del sol lo hizo detenerse en la copa de un árbol y por primera vez se quedó sin aliento al contemplar lo deslumbrante que era el exterior. El cielo solo se veía opacado con la majestuosidad de su plumaje. Vio claramente cómo el sol se detenía al no dar cabida a su belleza. "Ahora sí", pensó. "¡Soy libre, encontraré mi destino y viviré como lo que soy, un pájaro de la realeza!".

Un segundo después todo obscureció, no sabía que pasaba. Sintió un dolor insoportable y en lo que pareció ser un momento de lucidez pensó: "Qué equivocado he estado toda mi vida...". Sintió cómo sus alas dejaron su cuerpo detrás y sus patas flotaron en la negrura que lo rodeaba. "¡Me estoy transformando en...un dios!"

Aterrados, los demás periquitos vieron desde la casa como el gato del vecino se relamió los bigotes. Dieron gracias, una vez más, por la seguridad de sus jaulas.

TATÚS

ANA ESCALONA

Dimos un salto cuando la señora abrió la puerta y nos descubrió. Pero ¿qué creen que hacen par de escuinclas?, gritó muy enojada y nos quitó los plumones. ¿Qué no saben que son charpis?, y dijo que aunque nos laváramos la cara ya no se nos iba a quitar. La Britany y yo nos miramos asustadas, no por no saber lo de los charpis, sino por los gritos de la señora. Pero a la vez se nos salía la risa y yo sentía bien bonito dentro de mí, como hace mucho no sentía. Solo de ver todo mi nombre sobre la frente de Britany y luego de mirarme en el espejo y ver el de ella escrito sobre la mía. Ahora mi hermanita ya sabe leer y escribir. Pero el día que esos policías se llevaron a apá, ella apenas había entrado al kínder y aún no lo entendía y por eso a cada rato me pedía que le repitiera la historia.

La señora siguió gritando, acusándonos de tomar cosas que no eran nuestras y diciendo de que ahora que llegara su marido nos las íbamos a ver con él. Yo quería esplicarle lo de los nombres, pero sabía que era mejor no rezongar, si ya de por sí nos había castigado la tiví. Y ahora íbamos a tener que esperar a que regresara Sandy para esplicárselo y que ella convenciera a la señora para que pudiéramos ver *El chavo*. Lo malo es que ella acaba de venir y entonces será hasta el próximo mes. Sandy visita a muchos niños así como nosotros y dice que el gobierno no le paga para venir más seguido. Esta última vez nos dijo que los señores nos quieren adoctar, que quieren ser nuestros apás y yo nomás no entiendo cómo eso puede ser si la Britany y yo ya tenemos un apá. Sería bonito saber lo que se siente tener una amá, pero no si va a ser esta señora.

Más tarde escuchamos que llegó el señor y la Britany no quería salir del cuarto. Me decía, Miranda tengo miedo, y pos yo también temblaba, pero me aguanté para que ella no se pusiera a chillar y aparte porque la idea de los charpis había sido mía. Por fin la convencí para salir. Cuando nos vio el señor se puso a gritarnos y a llamarnos ladronas. Dijo que eso que nos habíamos pintado parecían tatús, y que en esta casa eso no se permitía. Y que si íbamos a ser de su familia más nos valía olvidarnos de apá y de sus malas costumbres. Eso sí que hizo que se me apretara bien duro el corazón y se me vinieran las lágrimas a los ojos. La Britany también empezó a llorar y otra vez vi cómo le chorreaba la pipí por la pierna y se hacía un charco en medio de sus pies. ¿Por qué ellos quieren que nos olvidemos de apá? Aunque los he acusado con Sandy y le pido que se los esplique, a ella le dicen que estamos mintiendo y que nos tratan bien. Cuando Sandy se va, vuelven con lo mismo y a insistir que les llamemos momi y dadi.

Nunca me voy a olvidar de mi apá y tampoco de sus tatús. Me vuelvo a ver sentada en sus piernas, el mismo día cuando por la noche se lo llevaron. Veo sus ojos bien orgullosos mientras yo las deletreo de una en una, para que él vea que ya lo puedo leer. M-I-...bien mija, me dice, síguele, eso es. M-I-R-A... y entonces dice que qué lista niña le salí. M-I-R-A-N-...ya casi mija, me anima paciente y yo me esfuerzo un poco más hasta que puedo leerla toda... M-I-R-A-N-D-A. ¿Miranda, apá? ¿Eso dice? ¡Si así me llamo yo! Sí mija, eso merito, y dándome un beso, se acaricia el tatuaje de mi nombre que ha estado ahí toda la vida, justo ahí encimita de su ceja derecha. Y vuelvo a sentir la confusión que sentí. ¡A mi apá le faltaba un tatú! Me veo volteando, mirando si la Britany anda por ahí y se va a dar cuenta. Y entonces me oigo que se lo pregunto a él y veo que me sonríe y me coloca en el piso. Y lo miro sentarse con las piernas cruzadas en la alfombra. Y me señala con su dedo detrás de su cuello. Y entonces comienzo a deletrear una por una las letras… B-R-I…y antes de terminar lo comprendo y lo abrazo a mi apá y me veo feliz.

Ahora que venga Sandy le esplicaré la historia y se lo volveré a preguntar. Eso de los papeles y de porqué no podemos volver a casa con apá. Y antes de que se me olvide, le recuerdo a la Britany: cuando te bañes que el agua no toque tu cara. Ni el cuello, me recuerda ella, y entonces se levanta el cabello y, chequeando que nadie la ve, me muestra el A-P-Á escrito con mi propia letra sobre su piel.

PUEBLO CHICO

ALEX GUERRA

—Que no se te olvide nada pa' que no tengas que regresar.

—Ya llevo todo apá, yo tampoco quiero volver al pueblo.

—Y habla con tu amá pa' ver si te puede regalar uno de sus rebozos, es lo único que te falta pa' ser vieja.

—Ya viejito, deja que el chamaco se vaya en paz —intervino Matilde en tono de súplica.

—Usté no me va a decir qué chingados decir, si no crea que no me enmuina harto saber que también tuvo muncha culpa pa' que este cabrón se volteara.

—Ese es el problema con usté, todo lo quiere arreglar por la mala. No se apure amá, ya lo conoce.

—¿Pos que quieres, que haga fiesta pa' festejar que mi hijo salió marica?

—Por lo menos me gustaría irme con un buen recuerdo de la casa, aunque no creo que se pueda después de todo lo que me ha dicho.

—Pos no creo que haigas sufrido tanto, no te vi tan triste atrás de los corrales con el otro joto del Ruperto, tan hombrecito que se veía. De ti ya tenía mis dudas, siempre tan delicadito, mira que ayudarle a tu amá a hacer tortillas y limpiar la casa en lugar de ir a sembrar la tierra y hacer cosas de hombres.

—Pos era pa' no ver cómo la golpeaba si no estaba todo como usté le ordenaba.

—Bien me lo decía mi compadre Gumaro, que te veía medio desviado y ora veo que no se equivocó. Ora todo el pueblo va a hacer burla de nosotros.

—No seré el único que cause burlas de la familia.

—Mijo, ya cállese, respete a su padre —dijo su madre casi a modo de susurro mientras se pasaba el rebozo por el rostro.

—Su compadre es el que menos debe hablar, pregúntele sus pinches gustos raros. Pa' que lo sepa, él fue el que me desgració la vida cuando era yo un escuincle. Usté se lo mete en el alma nomás porque le invita la peda y le compra la cosecha... Nunca se me va a olvidar la noche que me mandó mi amá al rancho de su compadre pa' buscarlo. Era ya tarde y usté no volvía pal' jacal. Cuando llegué, lo encontré tirado entre las pacas, todo vomitado parecía como muerto.

—Es puro cuento tuyo, aparte de marica también saliste embustero.

—Déjeme acabar pa' que sepa la verdad de una vez por todas. Cuando llegué al rancho, su compadre estaba dormido en la hamaca que tiene detrás de los chiqueros, como usté no respondía a mis gritos tuve que pedirle ayuda a él pa' subirlo al caballo y regresarlo a la casa.

—Montón de embustes que estás diciendo.

—De una vez le digo todo antes de largarme, ¿o qué, no quería saber por qué salí raro? Tan pronto despertó su compadre, me dijo que me le acercara, me arrejuntó harto a su cuerpo todo sudado y apestoso a aguardiente, luego me agarró de los brazos, me tiró al piso y entre el estiércol se me echó encima como perro en celo.

—Mira que hay que ser cabrón y malagradecido pa' colgarle tu milagrito al compadre, después de todos los regalos que te ha dado.

—Todos los regalos eran para que me quedara callado. Lo más jodido es que ni mi amá dijo nada, aunque vio cuando yo estaba tratando de quitarle la sangre a los calzoncillos después de esa noche. Ella como siempre bajando la cabeza, haciendo como que no pasaba nada.

—Ora resulta que todos somos culpables de tus chingaderas. Debí haberte llevado con la Candelaria pa' que te hiciera hombre, así como me llevó mi apá a mí cuando era un escuincle.

—Pos qué bueno que usté sí salió macho, apá, pero parece que a su compadre no solo le gustan los guercos sino también los machos. Eso se chismea en el pueblo, y otras pendejadas que no quisiera creer. Bueno, mejor ahí la dejo. Quédese con Dios, amá.

ME ESTALLAN LOS SENTIDOS

LISSETE JUÁREZ

El *zapatito* rojo decolorado nunca me había dejado tirada, hasta ese jueves 7 de noviembre de 1996, hace exactamente veinte años. Me lo había regalado mi papá y lo primero que hice fue tapizarle los asientos con camisetas de los Beatles. Era un Renault 5 viejito que sonaba como esas mujeres que usan juntas muchas pulseras de metal.

Con un pañuelo desechable, dando suaves palmadas sobre mi rostro, intentaba secarme el sudor, esperando no arruinar los kilos de base, rímel y rubor que traía encima. Con la otra mano, fingiendo saber lo que hacía, escudriñaba las mangueras y la batería de mi R5. Cuando escuchaba algún carro cerca, me inclinaba hasta que casi la mitad de mi cuerpo quedaba zambullida en el motor. Me indignaba la imagen de mujer desvalida, con el cofre de su auto abierto a mitad de la calle. Volví a dar marcha una y otra vez, sin lograr más que el mismo sonido fallido. Salí del carro y azoté la puerta. Me vi en el espejo lateral y fijé mi atención en uno de los diminutos triángulos en que no estaba roto. Mi maquillaje se derretía como mantequilla en el horno. Traté de arreglarlo con la orilla de mi blusa pero fue peor, parecía un mapache. Estaba a punto de llorar cuando escuché una voz.

—Hola, Matilde —dijo mi profesor de fotografía.

—¡Profesor! —Sentí cómo me ruborizaba.

—¿Tienes problemas con el auto?

—No, para nada. Me gusta aparcar a media calle —le dije torciendo los ojos.

Los hoyuelos de sus mejillas delataron una ligera sonrisa enmarcada por su barba.

—Es la batería —sentenció después de intentar arrancar el auto.

—Sí, eso mismo pensé —mentí viéndolo a los ojos.

—En mi casa tengo cables para pasarte corriente, regreso como en diez minutos —dijo caminando hacia su carro.

Aún con la ropa, podía adivinar su cuerpo fornido.

—Profe —le grité—. ¿Podría ir con usted? Es que me urge ir al baño y tengo la boca seca.

Él se detuvo y, después de lo que me pareció una eternidad, volteó hacia mí.

—No, Matilde, vuelvo rápido.

—Es que me estoy deshidratando. Me va a encontrar desmayada.

—Lo siento, pero no. No puedo llevarte a mi casa.

—Estamos a cuarenta grados. Me voy a morir de insolación.

Frunció el entrecejo y luego movió la cabeza de un lado a otro.

—A ver, vamos a orillar tu auto. Ponlo en neutral y yo lo empujo.

Después de comprobar que todas las puertas estuvieran cerradas, subimos a su Jeep. Se puso unos lentes estilo aviador y me volteó a ver.

—El cinturón, Matilde —dijo muy serio.

Ahí estaba, reflejada en el espejo de sus gafas, mi cara hecha un desastre. No podía creer que me viera así él, sobre todo él.

—Ya sé —respondí malhumorada y me abroché el cinturón.

Cuando dio marcha, sonó "Don't break my heart".

—UB40 —dije orgullosa y empecé a cantar, admirando de reojo su perfil griego.

Ni un toque femenino, vive solo, pensé desde que abrió la puerta. Aunque dudé porque todo se veía demasiado ordenado.

—El baño está ahí, voy por los cables —dijo interrumpiendo mis pensamientos y señalando el final del pasillo.

Caminé lo más lento que pude, había dos puertas cerradas y una abierta. Volteé con disimulo. Un edredón blanco pulcrísimo cubría una cama matrimonial. Había una sola lámpara en el buró derecho y al lado una pila de libros. ¡Perfecto! Yo duermo del lado izquierdo y también leo en las noches, pensé y me reí.

Al entrar al baño, lo primero que vi fue solo un cepillo de dientes; luego, mi penosa imagen en el espejo. Ya no sólo era el maquillaje, sino también el cabello, que de lacio perfecto se había convertido en una maraña. Resignada me arreglé el maquillaje lo mejor que pude y mojé mi cabello hasta que quedó escurriendo.

Cuando salí del baño, él estaba detrás de la barra que dividía la cocina de la sala.

—Toma —me extendió un vaso de agua, que me bebí sin respirar—. Dame, te voy a servir otro, no te vayas a deshidratar.

—¡Sí me estaba deshidratando!

—Te creo, Matilde, te creo —dijo sonriendo—. Estás empapada. ¿Te mojaste el cabello?

Cuando abrió el refrigerador, alcancé a ver algunas botellas de vino blanco, yogures bebibles, la jarra de agua y algunas cervezas.

—No. Salí a la lluvia —torcí los ojos—. ¿Sabe qué? Lo que realmente me quitaría la sed sería una de esas —me aventuré a decirle.

—¡No me digas! ¿Cuántos años tienes, Matilde? —me preguntó sin voltear.

—Soy mayor de edad.

—Matilde, en serio, ¿no pensarás qué voy a darle alcohol a una alumna? Si no estoy loco.

—¡Es una cerveza! Eso no cuenta como alcohol —le dije y aproveché que se volteó para mirarle el trasero.

—No. Tómate el agua y vámonos.

—Tengo di-e-ci-o-cho-a-ños. Sabe qué, profesor, me parece increíble cómo a las personas de mi edad nos quieren seguir tratando como niños, pero claro, nos exigen como adultos. No es posible que tengamos que decidir a qué queremos dedicarnos el resto de nuestras vidas, pero no podamos beber una cerveza o una copa de vino. Quieren que tengamos juicio para tomar decisiones, pero no nos dejan decidir.

Él me observaba. Sus ojos negros tenían un brillo tan intenso que parecía que había una estrella en medio de su pupila.

—Matilde, soy tu profesor, no es correcto ni siquiera que estés aquí.

—¡Por favor! En primera, ni es mi profesor, es el suplente de la maestra del club de fotografía de la escuela. Y además, ¿es qué? ¿tres años mayor que yo? Tengo amigos mayores que usted, pero claro, a usted le tengo que hablar de usted, porque está mal no hacerlo. Todo en mi vida es: tengo que sí, tengo que no, todo es un tener qué.

—Está bien, está bien. Me rindo —dijo sacando dos cervezas—. ¿No has pensado en ser abogada o dedicarte a la política?

—No. Quiero ser fotógrafa.

—No me digas —dijo incrédulo—. Ven, vamos a la sala.

Él se sentó en el sillón individual y yo en el grande.

—Pues sí te digo…

—¡Ahora me tuteas! —sonrió—. ¿Por eso entraste a mi clase? A destiempo, si mal no recuerdo.

Mis amigas me habían dicho que el suplente de la maestra era un fotógrafo guapísimo recién llegado de Nueva York. Yo, conociéndolas, pensé que exageraban, hasta que lo vi en el estacionamiento. Al siguiente día me inscribí en su clase.

—Pues sí. Además sabía que la maestra Edna era muy buena, lástima que está de permiso de maternidad —mentí.

—¡Ah, claro! ¿Y por qué no te habías anotado antes? —dijo tocándose la barba.

—Porque aún no estaba segura de qué quería ser —contesté nerviosa y le di un trago interminable a la cerveza.

—Me alegra que ahora estés tan determinada. ¿Y dónde piensas estudiar?

—¿Dónde estudiaste tú? —le pregunté mientras rizaba un mechón de mi cabello aún mojado—. Sólo que yo no quiero ser profesora.

—Yo no soy profesor, Matilde, soy un fotógrafo que da clases de fotografía temporalmente. Pero para responderte, estudié en el New York Institute of Photography. Y ya es hora de irnos. —Apuró su cerveza, se levantó y mientras caminaba hacia el baño se arremangó la camisa, dejando al descubierto un mandala tatuado en su brazo derecho.

Me paré y sentí mi cuerpo más ligero. Fui a la cocina y vi el sacacorchos sobre la barra. Abrí el refrigerador y saqué una botella de vino blanco. Encontré pronto las copas y llené dos hasta rebosar. Caminé hacia el librero bebiendo el frío líquido. Entre las docenas de libros distinguí *De qué hablamos cuando hablamos de amor* de Carver. ¡Lo sabía, tenemos todo en común!, pensé. También había una pila de discos compactos. El de arriba tenía una portada en sepia en la que resaltaba un hombre vestido de negro. Decía "Leonard Cohen". Abrí la caja y no estaba el disco. Volteé y vi un estéreo. Me ganó la curiosidad y le puse play. "Suzanne" fue la primera palabra de las miles que he escuchado salir desde entonces de esa voz tristísima. Cuando terminó la canción, abrí los ojos. Diego estaba recargado en la pared, mirándome.

—No hay forma, Matilde.

—Solo una copa, ¡por favor! ¡por favor! Además está delicioso —dije en tono suplicante, llevándome la copa a los labios—. Es muy guapo este Leonard Cohen.

—Ahora mismo ese guapo debe tener unos veinte años más, es un disco muy viejo —me contestó y se dirigió a agarrar los cables que había dejado junto a la puerta.

—¡No, espera! Por favor, una copa y ya. Escucha, escucha qué voz.

Diego no se movió, tenía sus ojos negros clavados sobre los míos. Yo resistí. De fondo sonaba "Sisters of Mercy".

—Está bien, pero es una, Matilde, una y ya —dijo.

Agarró la copa que le había servido y nos sentamos en la sala. Estuvimos hablando y en un momento me dijo que le maravillaba lo franca y resolutiva que era. Resolutiva, pensé.

Nada de lo que sentía me era familiar. El Chardonnay me provocaba una sensación de astringencia en la lengua que me producía una salivación involuntaria. Todo a mi alrededor era impreciso; sin embargo, estaba lúcida, más lúcida y presente de lo que había estado nunca; era como si mi cuerpo flotara sobre un mar cálido y sereno, como si mis pensamientos emergieran de un universo paralelo sin juicios ni dictámenes.

Terminamos de beber la botella en silencio; la voz tristísima de Cohen había suprimido al mundo, había silenciado nuestras conciencias y paralizado nuestros demonios.

Me levanté y caminé despacio hacia donde Diego estaba sentado. Entonces me puse frente a él y me quité la blusa; entonces me acerqué más, tomé sus manos y las puse sobre mis senos; entonces lo besé y me monté sobre su cuerpo, entonces pude sentir su sexo endurecido a través de su pantalón y el mío. Entonces fue puro sentir.

Cuando abrí los ojos, él estaba sentado en la orilla de la cama acariciando mi rostro. Me acercó un vaso con agua y dos aspirinas.

—Son casi las ocho. No quiero que vayas a tener problemas en tu casa —me susurró al oído.

—No te preocupes, nadie llega antes de las nueve —le dije acercándome para besarlo.

Él me correspondió con un beso húmedo y tierno.

—Voy por tu ropa.

Cuando salió de la habitación, levanté el edredón. Ahí estaba: una pequeñita mancha roja alterando el blanco inmaculado de la sábana.

Me había preguntado si era mi primera vez, antes de bajarse el pantalón. Yo le había mentido; casi indignada, le había respondido que no.

—Necesito lavarte las sábanas. Me vino la regla y tuve un accidente —le dije nerviosa cuando entró.

Puso mi ropa sobre la cama, se sentó de nuevo junto a mí e intentó tomarme las manos, pero yo las escondí porque me avergonzaban mis uñas mordidas.

—Matilde, sabes que puedo ir a la cárcel por esto, ¿verdad? —dijo buscando mis manos.

—Jamás lo permitiría, si fui yo quien lo quise —le dije mientras él besaba cada uno de mis dedos.

—Yo también lo quise y ha sido maravilloso. Nunca dudes de eso.

—Solo me falta un mes para cumplir dieciocho —le dije haciendo puchero.

—Quiero que sepas que eres una mujer inteligentísima y que me siento el hombre más afortunado del mundo —me dijo mirándome fijamente.

—Tú también... —dije y me interrumpió dándome un beso.

Me vestí y fui al baño. Me lavé la cara con el jabón de las manos y me hice una coleta, luego salí. La puerta de la calle estaba abierta. Me asomé y vi que el profesor estaba recargado en el auto, mirando hacia cielo. Saqué el disco compacto del estéreo, lo puse en su caja y me lo metí en la cintura tapándolo con mi blusa. Me detuve antes de cerrar la puerta para recorrer aquel lugar con mis ojos. Quería plasmar en mi memoria cada rincón y ese olor nuestro suspendido en el aire.

Me abrió la puerta del jeep. Ninguno teníamos nada que decir; el mundo, las conciencias, los demonios, todo había vuelto. Él empezó a cantar imitando la voz cavernosa de Cohen. Sentí la caja del disco en mi abdomen y tuve el impulso de confesarle que lo había robado, pero no lo hice. Abrí la ventana, el viento revoloteó mi cabello, me miré en el espejo lateral del carro y sonreí. No creí que me pudiera sentir tan contenta así, despeinada y con la cara lavada.

Colocó los cables, pasó corriente a la batería y el *zapatito* arrancó. Me paré frente a él y le di las gracias. Tomó mis manos, besó mis uñas mordidas y me pidió que esperara. Fue hasta su carro y regresó con la cámara.

—¿Puedo fotografiar tus manos? —me preguntó.

—¿Puedo fotografiar tus manos? —le respondí.

La fotografía está publicada con mi nombre en un libro que llegó tiempo después a casa de mis padres. Se titula "Me estallan los sentidos".

CASCO ASTRONAUTA

CARLOS ORTEGA

Él siente la tierra, el aire y las nubes. Yo veo el espacio. Él se mueve por el viento. A mí me gusta brincar cuando llueve. El tiempo es chico para Él, no sabe de relojes. Yo soy lo más ligero de ese mundo. Él fue amigo de mi hermano y jugaron en tardes de sol. Yo juego con la luna.

Veo las cicatrices de mi hermano en Él. No sé dónde comienza la tristeza de Él y dónde termina la de mi hermano. A veces siento que una parte de mi hermano sigue aquí. Al no entender de lágrimas, pero sí de estrellas, a mí no me importa.

Imagino al espacio como un río que está al revés y en lugar de tener luciérnagas tiene estrellas. Yo quiero que mi luz se pueda ver. Imagino flotar al revés y ver mi casa, a mi mamá y a Él.

A mí me gusta explorar, pero soy pequeño. Él es altísimo. Al ponerme el casco astronauta y subirme en Él, me gusta ver la noche —quiero ir más allá de la luna—. Él no sabe hablar, pero sabe estar conmigo. Me gusta cómo el viento lo mueve.

El velorio de mi hermano fue pequeño, yo me acuerdo un poco, me dijeron que Él no fue, que no podía venir, que mi madre no podía, ni quería verlo. Ahora entiendo por qué se siente culpable de haberlo plantado atrás de la casa.

Un día jugué a cazar nubes pero caí y gotas de sangre salieron de mi rodilla. Lo primero que hice fue correr hacia Él, quería enseñarle que también me salen cicatrices. Él no se movió ni un poco. Y es que Él tiene miles y una enorme que comparte con mi hermano.

Mi madre dice que nadie puede sobrevivir a un rayo. Él sobrevivió y por eso digo que es de otro planeta. Mi hermano no sobrevivió y por eso sé que fue de este planeta. Por eso yo quiero irme al espacio.

Cuando lo miro, puedo sentir el rayo que le quitó la mitad y que se llevó a mi hermano. Sus cicatrices son de distinto color, son como negro espacio. Mi hermano desapareció en sus ramas, pero yo sé que ese relámpago los unió. En los libros los árboles no tienen piel, en los libros las personas no tienen corteza, pero yo sé que se unieron en uno solo. Mi hermano se fue de este planeta. Él se mantiene tranquilo, siente la tierra y saluda al sol. Mis ojos se vacían cuando el cielo se llena de luces. Me gusta imaginar a mi hermano nadando en el río al revés.

El primer casco que hice fue cuando mi hermano todavía estaba aquí. Me regaló un libro sobre astronautas en trajes blancos y el espacio. Me ayudó a hacerlo. Yo soy un explorador astronauta, mi hermano un experto constructor. Traté de investigar el patio trasero, pero no era lo suficientemente grande. El segundo casco fue más fácil, ya podía usar las tijeras. Lo hice de ramas y hojas, los uní con lazo y cinta. Fue la primera vez que pude subirme en Él. El tercer casco lo construí con un solo objetivo: Dejar este planeta. Pero tuve que esperar para usarlo.

Después del velorio de mi hermano, los otoños llegaron y Él lloró hojas. Yo me aventé al montón de sus lágrimas y jugué a las escondidillas. Las mías saben salado, las de Él saben a tierra y son de colores. Las mías, aunque llore mucho, siempre salen de color agua.

Los inviernos lo pintaron blanco. La nieve lo disfrazó de muñeco, el agua se congeló dentro de Él, y lo único que se movió fue la nieve al caer. Él se mantuvo quieto. Yo quiero que llueva como el año en que mi hermano se fue.

En la primavera regresé a la escuela. Mi mochila se llenó con libros y materias, el único libro que me importa es el del espacio.

Me enseñaron que después de cada rayo viene un trueno, que si cuentas los segundos después que ves la luz puedes saber qué tan cerca está de ti. Él se llenó de verde, juega con el viento y me manda hojas para que juegue con Él.

Las primeras lluvias llegaron. Él escucha las gotas. Yo quiero los rayos. Me pongo mi casco. Seré el primer explorador astronauta. La mitad de sus ramas crecieron, la otra mitad todavía no olvida a mi hermano. Él siente la tormenta. Yo sigo escalando. Él entiende que las nubes se juntan. Yo escalo. Él sabe que quiero atrapar rayos. Yo llego hasta arriba. Él extiende sus ramas al cielo. Yo reto al espacio. Él mueve sus hojas. Yo grito —¡quiero ir más allá de la luna!—. Él no entiende de palabras pero sí de emociones, comienza a moverse con más fuerza, no quiere que despegue. Escucho el primer rayo. Él deja de moverse y aferra sus raíces a la tierra. Empiezo a contar: uno, dos, tres, cuatro... La parte donde el rayo le pegó comienza a brillar. Cinco, seis... El trueno cae lejos. Yo sé que si un rayo se llevó a mi hermano otro lo regresará. Él se ilumina por otro rayo. Uno, dos, tres... No sé si la luz proviene de Él o de los rayos. Cae el trueno. Las nubes se juntan. Mis ojos se llenan de agua y el cielo se llena de luz. Él se mantiene como un lápiz que apunta a la luna. Uno, dos... Yo veo el trueno caer más cerca de nosotros. Uno y el trueno. Él comienza a estirar sus ramas y hace una casita para mí, los tronidos de Él son tan fuertes como los rayos.

Yo comienzo a ver madera y hojas alrededor mío. Uno… El trueno nos espanta. Mi hermano no está. Él se ilumina de luz eléctrica. Yo soy una luciérnaga que flota.

LOS ENREDOS DE LA CARNE

MA. ELISA PERALTA

A la salida de la Universidad, Emilia comió gorditas de carne. Las acompañó con un refresco y salsa verde. Nada más tragó el último bocado, pagó la cuenta, caminó a la esquina y le hizo la parada al pesero. Cuando vio que dos de sus compañeros de clase también abordarían, apuró el paso para subir a la cabina. Manejaba un muchacho moreno, peinado con gel a prueba de viento y sudor. Vestía una playera negra pegada al cuerpo y un pantalón blanco. Era uno de esos hombres al que se le podría admirar si tan solo tuviera una buena conversación.

Al cabo de un rato, su lengua le informó de un hilo de carne atorado entre sus dientes: estaba en la hendidura de los frontales superiores. Emilia viajaba en pesero de la Universidad a su trabajo de medio tiempo. Buscaba sentarse adelante. No le gustaba la parte trasera porque cuando alguien subía o bajaba debía moverse a un lado o al otro como si fuera una ficha-comodín a la que se le ubica según se necesite. Sabía de memoria el interior de las cabinas: los rosarios colgados del espejo retrovisor, un zapatito de bebé o magnetos con imágenes de santos puestos a lo largo del tablero. La palanca de velocidades solía tener por empuñadura una bola de billar con el número de la suerte del chofer, pensaba Emilia. Suspiraba al imaginar el día en que tuviera su propio automóvil.

La hilacha de carne no le hubiera preocupado sino pareciera ser tan visible. Era una de esas ocasiones en que creía que el mundo observaba directamente la falla en su aspecto. Como si todas las luces del set se enfocaran en su sonrisa. ¡Y con ese par de pesados sentados atrás! Mañana toda la clase sabría mi triste historia, pensaba, sintiendo que la hilacha de carne se extendía, como enredadera, por todos sus dientes. Sin tener a mano algún palillo, u otro instrumento adecuado, decidió usar la lengua. Sus uñas eran largas y podrían servir de herramienta, pero no quiso estropear el esmalte. Apenas era lunes y no dispondría de tiempo para volver a pintarlas.

La operación de limpieza comenzó así: pasó y repasó la lengua sobre los dientes, por el frente y por detrás. Repitió el procedimiento varias veces, pero como no sintió ningún avance, optó por succionar. Era como aplicar una ventosa sobre la hendidura. Su lengua convertida en tentáculo trataba de sustraer la presa. Ahora sí, Emilia sintió la hebra de carne moverse. El aire, la saliva y la succión reventaban en pequeñas burbujas dejando escapar un leve chasquido. La presión fue más intensa con la intervención de los labios. No se dio cuenta cuando empezó a chupar. El chasquido subió de volumen hasta convertirse en lo que pareció un beso lanzado al aire.

El beso lo cachó el chofer. Sorprendido, expandió su cuello volante, cual lagartija de desierto. Continuó el ritual pasando la mano por su pelo y agradeció el cumplido con una sonrisa. Ella ni parpadeó. Como no tenía un espejo se arrimó a la puerta y comenzó una sesión de modelaje frente al espejo lateral. Pelaba los dientes como si anunciara pasta dental. No se dio cuenta de que el muchacho la siguió con la mirada y pensaba que le sonreía. Cuando él regresó su atención al camino, estaba a punto de chocar con el auto de enfrente. El dibujo de las llantas quedó plasmado en el pavimento. Por la fuerza de atracción, Emilia quedó apretujada contra él. Parecía uno de los imanes del tablero, atraídos por el metal, que reposan sobre el peluche.

Su rostro, tan cerca de la cara de él, fue fiel reflejo de los colores de la vanidad del muchacho. Aspiró el aire que él exhalaba. Quedó atrapada en una nube de colonia barata, gel, chicle de menta y sudor de toda una mañana de trabajo. Le sonrió, por reflejo, todavía con la hilacha de carne colgando de sus dientes.

—Perdón —dijo, suspirando.

Para salir de aquella situación se apoyó en el brazo del muchacho. Sintió la rigidez del músculo y se agarró bien para no caer.

Arrimaba la cadera hacia el otro extremo de la cabina y los colores no dejaban de subir y bajar por su rostro. Veía la mano del chofer extenderse hacia la palanca y, por si las dudas, siguió alejándose centímetro a centímetro, hasta quedar pertrechada en la puerta. Tenía la sensación de haber sido arrojada al aire donde su cuerpo se había fraccionado y al caer faltaba una pieza.

Durante una parada el muchacho sacó de la guantera un papelito y pluma. Escribió algo y lo entregó a la muchacha.

—¡Pegaste tu chicle, Emilia! —gritó uno de sus compañeros de clase desde los asientos de atrás.

—¿No que tan apretada? —apuntó el otro.

Emilia bajó la cabeza sintiendo sus cejas tan fruncidas como los labios. Hubiera querido cerrar los ojos para desaparecer el mundo o cuando menos al chofer y a sus compañeros. Al acercarse a su destino pidió esquina, sacó el dinero de su bolsa y extendió su mano para pagar. Él hizo como si fuera a tomarlo, pero solo le tocó suavemente la mano, a modo de adiós. Emilia bajó sin despedirse. Avanzó sobre la calle y cuando oyó el motor del pesero alejarse se detuvo. Trató de sacudirse el vértigo. Leyó en el papel un nombre, un número de teléfono y, a manera de firma, un corazón atravesado por una flecha.

Enrolló el mensaje, con mucho cuidado, hasta formar un taquito y con él se sacó el condenado pedazo de carne.

ÚLTIMA FUNCIÓN

MARÍA QUIROGA

A mediados del verano pasado, mientras conducía a casa después del trabajo, se vino la tromba. Era común en esos días. Comenzaba a llover como si nos cayera encima una ola tsunámica que convertía al periférico en una especie de caldo lodoso, de sopa urbana: autos, basura, gente, camiones, ramas, troncos y motos unidos en esa misma olla de asfalto. Algunos puntos de la ciudad eran bien conocidos por transformarse en cuerpos de agua mortales en cada aguacero. El volumen de agua sucia creció tan rápido que apenas pude reaccionar. El cine se atravesó en mi camino y entré en el centro comercial para refugiarme del caos y salvar el auto del feroz pozo que se lo tragaría en el siguiente paso a desnivel.

Esa ocasión había salido tarde y era la tercera tromba en el mismo día. Cada una duraba apenas unos veinte minutos, efímeros pero capaces de regresar a su condición de lago a la vieja Tenochtitlán, por lo que la ciudad era un majestuoso desorden desde horas antes.

Llegué a la taquilla a eso de las nueve y media. Era martes y parecía que a nadie más se le ocurría hacer una pausa en lo que pasaba la pesadilla. Tenía a escoger dos funciones, una selección del *Sundance Festival* y una comedia romántica de esas que le sacan a una caries de tanta mermelada.

Entré en la sala vacía después de comprar una Coca; en la bolsa traía mi anforita llena de ron. No es que fuera una alcohólica, pero cuando iba a las reuniones de señoras del club, todas se hacían de la boca chiquita: *No, gracias, no bebo; una Coca Light, por favor.* Al principio no me importaba y pedía mi cuba o un vodka tónic. Me daban una pereza inmensa esas mujeres, que se llenaban la panza de diuréticos con el único afán de ganar el premio de la esposa perfecta. Tenían mil formas diferentes de decirme que odiaban que bebiera, pero sabía que, en el fondo, el odio era por mi juventud, irrecuperable para ellas.

Desde el principio no les caí porque era la "pecadora" que vivía con el novio sin el trámite matrimonial del juez y el sacerdote, fumaba como tren e iba al club solo porque Adrián me lo pedía, pero no hacía ejercicio ni entraba a las clases de gimnasia, ni de bici, ni de nada. Era una cosa social, por él. Sé que tú no eres así, me decía, pero al menos en esos ratos hazlo por mí. No te cuesta nada. Y ahí estaba yo, bebiendo agua de limón y tragando ensaladas para que el ofrecimiento de ser socio en el despacho terminara de concretarse. En el papelón de mi vida con esas señoras para que Adrián, y no yo, tuviera un mejor futuro laboral. Así que se me ocurrió llevar mi propio alcohol; pedía mi Coca bien azucarada y en un descuido le vaciaba el ron.

Mi anforita vivía en el auto o en mi bolsa y solo la sacaba para vaciarla o rellenarla y como en esos momentos estaba sola en la enorme sala del cine, me acomodé a mis anchas en la butaca, le envié un mensaje a mi novio, quien estaba en la misma batalla automovilística en otro lado de la ciudad y me preparé para ver la película.

Cuando bajaron las luces y terminaron las infinitas promociones de las próximas películas, aprovechando la oscuridad abrí el refresco y le serví un buen chorro de ron. De reojo me percaté de que algo se movió al fondo de la fila. Era un tipo echado en una butaca. Parecía que había corrido hasta ese pequeño refugio y ni siquiera había tenido el cuidado de acomodarse. El aguacero lo escupió como una ola y ahí cayó, apoltronado y con desenfado. El refresco de un lado y su bolsa de palomitas sin tocar en la butaca contigua. Estaba solo y, a la luz de la pantalla, pude notar que estaba empapado de pies a cabeza. Parecía que la lluvia le había tocado solo a él. Por su respiración agitada supuse que iba en franca recuperación de la corrida que seguro puso cuando comenzó el aguacero. Terminó de escribir algo en su celular. Se nos cruzaron las miradas y me sonrió.

Él levantó su vaso y me hizo la señal del brindis, pero no sabía bien si sólo brindaba o quería un poco, así que, en medio de esa sensación corporal de culpa por haber sido pescada en plena falta, le ofrecí. Se levantó, caminó hacia mí y se tiró de un sentón en la butaca de al lado.

—Otros días te diría que no, pero hoy es justo lo que necesito, y el mío se acabó —dijo en un susurro, mientras sacaba un ánfora idéntica a la mía de la bolsa del saco.

—¿Un mal día? —pregunté sorprendida de que fuera la misma que usaba yo.

—Mmm —contestó con un gesto—, vendrán los peores después.

Intuí que hablaba de la lluvia y que aludía a esos peores días que faltaban, justo los aguaceros más densos de julio.

—Estas trombas cada año son peores.

—A mí esta me vino de maravilla —dijo viendo que en la pantalla terminaba la introducción de los créditos.

Entonces miré esa extraña satisfacción en la cara que se complementó con el primer trago de la bebida.

—¿Viniste huyendo del agua? —me preguntó.

—Me caga quedarme como idiota en medio del tráfico —contesté ya en una conversación cuchicheada mientras entendíamos las primeras escenas.

—Yo igual. Me salí del auto y vine corriendo.

—¿En el estacionamiento?

—No, claro. En la calle. El agua empezó a subir y me salí corriendo.

—¿Y tu coche?

Me hizo una seña con la mano, como diciendo que no importaba, que era un auto nada más.

—Tengo seguro. Y salvé el celular.

—¿Y no te estarán buscando?

—No sé. Pero mientras llueva no pueden hacer nada. Además, ya sabes cómo es esto. Me da tiempo de ver el festival de cine completo antes de que comiencen a buscarme.

El caso es que, pasada la mitad de la historia, comenzaron las escenas de sexo entre los protagonistas. Como por instinto lo miré y él ya tenía la vista en mí. Sostuvimos la mirada, me pareció que pasaron siglos, mientras escuchábamos los primeros jadeos. De súbito sentí un calor en la cara mientras él bajaba la vista despacio por mi cuerpo. Se detuvo en mi pecho y en mis piernas y luego me volvió a ver a los ojos. Sólo con ese barrido me excité. Los labios se me hincharon en una respuesta inmediata y un toque eléctrico palpitaba en varios puntos de mi cuerpo. Era un extraño, no sabía su nombre y ya quería estar encima de él con su lengua en mi boca. A pesar de que era evidente que él pasaba por el mismo trance, supo controlarse y a puro ojo establecimos una relación de orden y obediencia. Con la mirada fija colocó sus ojos en el hueco de mi falda. Hizo un leve movimiento de cabeza, indicándome que abriera las piernas. Me dejé gobernar porque al hacerlo mi deseo crecía y al crecer, de forma simultánea, se intensificaba el temblor interno de mis órganos vitales, y eso me gustaba. Obediente, abrí las piernas, sin perder nunca la noción de que estaba con un extraño, en un sitio público, y de que nunca había hecho algo así pero que, si no lo hacía ese día, no lo haría jamás, como si fuera la oportunidad de vida antes de caer en un abismo.

Subí la falda. Ladeó la cabeza, ordenándome pues, y abrí más las piernas. El calor me subió y se concentró en el punto que él miraba. Ahora la humedad estaba en mí, como si el aguacero que inundaba la ciudad se produjera entre mis piernas. Comenzamos ese juego de caricias en el que los ojos gobernaban. Así me abrí la blusa, me acaricié los senos por encima del sostén, siempre pendiente de los ojos de él que me iba diciendo qué hacer sin pronunciar palabra.

El ron me daba un efecto calorífico. En la pantalla la protagonista rompía en gritos sexuales mientras su pareja repetía: *I like to fuck you, baby, I like to fuck...* y se movía desnudo encima de ella. En un primer plano, él mordía un pezón. Fue la única escena en la que desvié la vista hacia la pantalla. Lo demás lo hice tal cual me lo iba ordenando él. Me toqué y me dejé tocar con sus ojos. El deseo porque fueran sus manos creció cuando los personajes cumplían sus vicisitudes. Mi cuerpo semi expuesto llovió casi una hora. Le di sorbos a la cuba hasta que la terminé.

Cuando la película se fue a negros y yo tenía el alcohol hasta arriba, me levanté y acomodé un poco mi ropa. En un cambio de mando, le ordené que me siguiera. Él, obediente, se levantó tras de mí, siguiéndome con prisa a mi coche. Sin la penumbra de la sala del cine, con la luz blanquecina del estacionamiento, me fijé que era más grande que Adrián en edad y en corpulencia. Seguro me llevaba unos diez años, la nariz recta y un tono de piel moreno. La boca carnosa, pulposa y definida. Algunas canas en las sienes, la quijada cuadrada, las cejas rectas y bien pobladas en negro. Abrí el auto y enseguida me metí en el asiento trasero.

En algún momento, dentro del coche, vi en su mano la argolla matrimonial. *Qué importa*, pensé. Yo estaba, en términos prácticos, bajo la misma circunstancia. Me recostó de un empujón, se quitó la gabardina y levantó mi blusa, hizo a un lado una de las copas de mi sostén y, antes de pegarse a la punta de mi pecho, lo vio o, más bien, lo observó. Luego lo tocó con el dedo gordo y mi pezón emergió como la cúpula vieja de una iglesia, de concreto duro y firme desde el que se divisa el horizonte, y entonces pegó su boca y succionó. Sus manos hallaron mis piernas, desataron su cinturón y dejaron expuesta la urgencia que había empezado adentro del cine. Cálidas y suaves iban y venían por mis muslos, como extraviadas y ufanas. Las mías buscaron con la misma exaltación la piel de su espalda inmensa. Escuché la entrada de mensajes en mi celular mientras me subía la falda y, con un movimiento apremiante, hacía a un lado mi ropa interior que servía de paño para controlar mi propia tromba. Sabía que era Adrián y me dio un morboso placer la idea de que mientras alguien entraba en mi cuerpo, él estaba pensando en mí.

Mi auto era el arca bíblica con dos animales a salvo en el segundo piso de un centro comercial. Afuera, la ciudad naufragaba hundiéndose en su propio fango. Generamos calor excesivo y una cortina visual de nuestras humedades exudadas impidieron que aquellos extraños nos vieran, pero nuestros movimientos, mis gritos, las interjecciones que él soltaba con efervescencia, debieron encender a los transeúntes malsanos. Mientras teníamos ese sexo eufórico y vehemente en el que ni me acordé del condón, pensaba en lo bien que lo hacía el tipo y que valdría la pena repetir. No dejaba de verme a los ojos ni yo a él, como en un acuerdo tácito idéntico al que sostuvimos en la sala de cine.

Escuché las risas de algunos que caminaban por el estacionamiento, pero no podía parar. Quería seguir. Él se movía con fuerza dentro de mí y yo buscaba, por alguna razón, complacerlo, así que levantaba mi cadera y trataba de aprisionarlo. El sudor escurría encima de mí, mezclándose con el mío y, entre mis piernas, naufragaba otra ciudad con otras olas de temperamento feroz.

Cuando pasó el temporal de mi cuerpo y la lluvia amainó afuera, nos miramos complacidos y el beso que no nos habíamos dado todavía sirvió como el silencio que apremia a la tormenta para que pase. Vino una calma dulce, calibrada con el tiempo que nuestras lenguas tardaron en desenredarse. Fue un contacto largo y tibio. Recorrí con mi lengua el pasaje oscuro entre sus dientes blancos y sus labios blandos y él hizo lo mismo conmigo.

Luego nos quedamos callados hasta que un último timbre en mi celular rompió el silencio.

—¿Tu marido? —preguntó al tiempo que acomodábamos nuestra ropa y que me volvía cierto pudor.

—Algo así —contesté, temerosa de ser contundente porque en ese momento caí en cuenta de que no sabía su nombre y un deseo imprevisto por retenerlo me atacó. Ese mismo deseo me llevó a pensar en un instante que si le decía que era casada o que vivía con alguien, él desparecería para siempre—. ¿Vas a buscar tu coche?

Él sonrió, adivinando la conversación que quería evitar.

—Mi coche se ahogó y con él un montón de cosas que ya no voy a necesitar y que ya no necesitarán de mí.

Escuchamos un zumbido y sacó su celular.

—¿Tu esposa? —pregunté.

Él dijo que no con la cabeza y contestó con una sonrisa ligera.

—Sí, soy yo... —dijo y se bajó del auto. Me quedé adentro respirando el bochorno exhalado de nuestros cuerpos y aproveché para leer los mensajes de Adrián. Ya había llegado a casa. Le contesté que me había metido al cine porque el paso a desnivel se había inundado y que apenas salía de la sala. No sabía cómo estaba el tráfico, pero en un rato lo vería.

"Te tendré algo caliente para cenar", me escribió y tuve el pensamiento mordaz de que ya había cenado algo caliente. Me reía yo sola cuando abrió otra vez la puerta.

—¿Me das un aventón a unas cuadras de aquí? Parece que ya bajó el agua.

Conduje sin hacer preguntas mientras él revisaba algunas cosas en el celular.

Antes de bajarse me dio un último beso.

—Este es uno de los mejores días de mi vida —dijo y cerró la puerta. Dio dos pasos y se regresó, a señas me pidió bajar el cristal—. El próximo martes dan un ciclo de Almodóvar. Vendré a ver una como hoy, a la última función.

Después sonrió, me guiñó el ojo y se fue dejándome la invitación abierta.

El siguiente martes había reunión con las señoras del club y sus parejas. Me frustré al momento. No podría asistir a ver mi favorita del genio español y en cambio estaría bebiendo agua mineral con raja de limón mientras conversaba sobre la película ñoña que, con seguridad, ellas sí habrían visto. Mientras Adrián pasearía con sus colegas y futuros socios dejándome en manos de esas urracas que escarbaban mi vida como quien busca cadáveres en un clóset; y yo qué ganas tendría de decirles que el martes anterior me había acostado con un perfecto extraño en el asiento trasero de mi auto mientras la ciudad se volvía laguna, río y mar, y que había sido en la sala del cine en donde lo había conocido y con quien había bebido sin la más mínima precaución de mi hígado, que había dejado exhibidas las partes más íntimas de mi cuerpo en una sala de cine sin el más mínimo celo de mi moral, y que, vamos, ni de su nombre me había enterado ni él del mío, así que mi integridad estaba intacta, agregaría con sarcasmo. Qué ganas de contárselo también a Adrián mientras le estuviera haciendo la barba al viejo socio mayoritario, que no era otra cosa que un ruco de rabo muy verde que daba rozones "accidentales" a las meseras.

¡Qué ganas de Adrián de encajar con esa gente!, pensaba. ¿Que no se le ocurría otra cosa? ¿Poner un negocio propio, una empresa y hacerla crecer en lugar de estar de perro callejero esperando a que le alimentaran de sobras, mientras yo tenía que aprender a hilvanar conversaciones de política clase mediera o de chismes de las actrices de televisión?

Los días siguientes pasaron como las hojas de una revista médica ante mis ojos. Seguía atorada en ese cine con la falda levantada, en la inundación, en el algodón húmedo de la camisa blanca que desprendía vapores de roble. En su lengua molusca buscando en la construcción de mi cuerpo, las campanas de mis cúpulas que dóciles se ofrendaban a él. En sus dedos suaves provocándome, en su mirada experta. En mi diluvio. En el arca.

El martes llegué algo temprano, todavía pensando en cómo escaparme de la reunión del club para poder ir al cine, aunque estuviera empezada la función. Estábamos casi todos en la mesa cuando alguna de ellas dijo:

—¿Vieron lo de la señora que se ahogó la semana pasada en el paso a desnivel del periférico?

—Sí, qué horror. Pobre del marido —dijo otra.

—No sé nada —comenté.

—¿Cómo crees, Angelita? —me había contestado, encimando las conversaciones como era su costumbre—. Salió en todas partes. Pues resulta que la señora, que por cierto era miembro de la comunidad católica de la Santa Cruz, iba a verse con su marido en el cine y nunca llegó. Se enviaron mensajes sobre el tráfico que estaba hecho una barbaridad. El marido llegó primero al cine y le escribió que la esperaba adentro que si no llegaba no se sintiera mal porque al fin el que quería ver la película era él. Porque creo que era una de esas cochinadas disque de arte, que nadie entiende nada. Le envió el mensaje, pero no llegó y con el trafical de ese día, el tipo pensó que se había ido a la casa y ¿cuál? Adentro del coche se ahogó. Se le trabó el cinturón de seguridad, ¡imagínate! Se le fue el auto hasta abajo del puente. Y en cuestión de minutos ya se lo había cubierto el agua. No sé cómo se quedó allí sin hacer nada. Yo creo que se pasmó. Ya ves que cuando te espantas, no sabes cómo reaccionar. Y él en el cine viendo alguna mafufada.

—Pues ya no te enteraste de lo demás, pero parece que un tipo venía con ella y se escapó del auto y la dejó ahí.

—Es que dijeron que era un ladrón el tipo ese.

—Es que qué va una a imaginar —dijo la más vieja—, pero no saben bien porque fue justo cuando el aguacero estaba en lo peor. No se veía bien.

—¿Y usted qué va a tomar? —interrumpió el mesero.

—¿Yo? —contesté mientras unía piezas en la cabeza—Un ron con coca, por favor.

La conversación siguió, que si no tenían hijos, que si el ladrón no pudo sacar la bolsa, que si parecía que ella había tratado de escapar, que si el ladrón había salido mojado hasta el cuello, que si llevaba un celular en la mano. Que si el cine era el que quedaba en el centro comercial de enfrente. Que según esto no estaba solo, que estaban buscando al testigo. Las teorías dieron rienda suelta a la imaginación colectiva, lejos de la realidad que me colocaba, sin que ellas supieran, en alguna parte de esa noticia.

Dejé pasar el tiempo entre conversaciones mal hilvanadas y pensamientos acertados sobre aquella noche. A las nueve en punto me levanté. Tenía el calor de varios rones en el cuerpo y la lluvia, otra vez incesante, ya estaba de nuevo ahí. Afuera y adentro. Tomé mis cosas.

—¿A dónde vas? —preguntó una de ellas.

—Es que tenía una cita —contesté—. Desde hace tiempo.

Adrián ni siquiera estaba cerca. No me despedí de él. No me extrañaría. No se daría cuenta hasta muy tarde, hasta que Almodóvar rindiera el último crédito. Hasta que me viera en el diario atestiguando en favor de la inocencia de un hombre.

De salida me alcanzó el mesero:

—Su paraguas, señorita.

—Quédeselo—contesté antes de que el chaparrón me empapara la blusa.

Me subí al coche y se vino la tromba. Mientras circulaba por el periférico, con la blusa mojada pegada a mi piel, veía el Audi 4 gris sucumbir en el paso a desnivel. Pude entrar en el asiento trasero y ver cómo el agua sucia subía con rapidez en el interior. Vi la desesperación de ella cuando el cinturón de seguridad no funcionaba. Lo vi a él echándole una mirada inmisericorde y oportunista. La oí gritar. Lo vi abrir la portezuela y correr con el agua hasta las rodillas y el cielo cayéndole encima. La vi desesperada tratando de salir y el agua negra elevarse como un monstruo hambriento al que le urgía comer. Lo vi volverse un instante y después entrar al cine. Lo vi sentándose despreocupado con su refresco, lo vi mirándome de lejos cómo me servía un trago. Excitado por lo que acababa de hacer.

Frente al volante, los domos de mis pechos se erizaron y, macizos, se levantaron bajo mi blusa cuando visualicé aquella tarde. La urgencia de su lengua se apoderó de ellos.

Corrí a la taquilla y compré el boleto de entrada para la última función.

—Ya empezó —me dijo la mujer de la taquilla.

Sin hacerle caso entré en la sala. Había más gente que la semana anterior. En medio de la oscuridad no pude distinguir a nadie. Me senté en un asiento que escogí sin atención.

Pasados diez minutos lo vi entrar. Fue hacia mí y se sentó a mi lado. Traía dos refrescos en las manos.

—Lo siento. Es difícil conseguir un Uber con esta lluvia. Lo de mi auto fue pérdida total. ¿Tienes ron?

—¿Tú la mataste?

Me miró sin respuesta un minuto.

—Diles que estabas conmigo —le dije.

Tuvimos un minuto más sin palabras cuando escuchamos el zumbido de mi celular.

—Apágalo —me ordenó. Y yo obedecí—. Vas a tener que decir que estuvimos juntos desde las cuatro —susurró en mi oreja. Luego pasó los vasos de refresco a otros asientos y levantó el brazo de las butacas que servía de división.

—Está bien.

—Ahora desabróchate la blusa.

Lo miré, y el aguacero comenzó en mi asiento. Desabotoné mi blusa. Victoria Abril hablaba en la pantalla. Sin el menor pudor, y ante los ojos de Miguel Bosé que cantaba vestido de mujer, dejé que llevara su boca fría hasta mi pecho y succionara con la misma violencia que la última vez.

OCURRENCIAS EN EL CIELITO SHOW

JOSÉ CARRERA

Benildo Gurión viajó a Asunción para tramitar el título del lote que su papá le dejó como herencia por ser el único hijo varón de la familia. El viaje por fin fue posible porque consiguió vender varias vacas y así juntar el dinero requerido para estos papeleos.

Fue la primera vez que salía de la campaña para ir a una ciudad. En la madrugada tomó el colectivo Independencia SRL que, después de pasar cerca de las tetillas de la cordillera del Yvytyruzu, le llevó hasta Villarrica. Ahí agarró el ómnibus La Guaireña que le transportó a altísima velocidad hacia la capital. Desde que iban pasando por Caacupé se paró cerca del chofer, observando atentamente el camino para no pasarse el destino.

Se bajó enfrente de la Iglesia Medalla Milagrosa en Fernando de la Mora y tomó el micro que le llevó al centro. Cuando por fin pudo llegar con la guía de algunos transeúntes impacientes, un funcionario le explicó que no podía darle el título de la tierra sin la presencia de su papá.

—Mi papá murió.

—Es una cuestión que tenés que resolver, señor. Te faltan también otros documentos. No hay nada que podamos hacer, señor. Regresá otro día, señor.

Benildo intentó explicarle al funcionario todas las dificultades que representaría para él regresar otro día. No sirvió de nada. Entonces Benildo le preguntó cómo llegar a la terminal de ómnibus. Éste le dio las instrucciones y le despidió:

—Hasta luego, señor.

Llegó a la terminal de ómnibus ya adentrada la noche. Compró el pasaje de regreso a Villarrica y luego se acercó al puesto del panchero. Comió una hamburguesa de carne con huevo y un pincho. Eran las diez de la noche y su autobús saldría recién a las dos de la mañana. Cansado pero buen alimentado, Benildo se acostó en el piso cerca de una gruesa columna y se preparó para dormir.

No pudo conciliar el sueño por el ruido de los otros pasajeros y los niños que ofrecían todo tipo de mercancías y alimentos. Se quedó mirando el techo por unos instantes hasta que se levantó frustrado, salió a la calle transitada y se fijó en los letreros gigantes de luces. Vio a muchas mujeres voluptuosas vestidas con minifaldas y que parecían cambiar de color al ritmo de los letreros de neón. Caminaba hacia ellas cuando se le acercó un anciano y le empezó a hacer conversación. Que de dónde venía, que si era su primera vez en Asunción. Que si quería divertirse. Benildo no tuvo problemas en contestarle e incluso confió en él para averiguar algo.

—Nde, ¿moópio oî umi kuña jaikuaáva? —preguntó Benildo en guaraní.

—Ikuárape reime che dúo. Amoite. Eme'ê chupekuéra kóa —le dijo el anciano, entregándole un volante rojo con letras y fotos grandes.

Benildo continuó su recorrido y la observación de la gente, los automóviles y micros roncos echaban humo como un tren. Se puso en la larga fila para ingresar a Cielito Show y cuando llegó hasta la cajera, preguntó cuánto costaba la entrada. Le pareció mucho dinero.

—Decidí pronto. Hay mucha gente detrás de vos. Te cuento de gratis que más tarde va a costar más —le dijo la mujer. Benildo sacó el dinero y pagó.

Se acercó al bar a preguntar cuánto costaba la cerveza. El que atendía le dio el precio. "Hepy tavy ningo kóa. Pero no puedo recular", pensó, y al sacar su dinero dijo—:

—Dame dos de una vez.

Acomodó su mochila color yerba entre las piernas y se puso a beber su cerveza. Al terminar las dos botellas, compró más, porque de todas maneras, pensó, nomás había entrado para ver a las nenas. Observó que los hombres se acercaban a las mujeres y éstas, con toda la amabilidad y atención, les agarraba de las manos y les conducía hasta donde la cajera. Muy sonrientes, ellos sacaban su plata y pagaban.

A Benildo le gustó el ambiente de pocas luces, con música movida y del momento, como la que él escuchaba en radio Horizonte allá en su colonia. Ingresaron al gran salón más hombres, grupos enteros, muy bien vestidos, de blanco muchos, con championes que se veían limpios y nuevos. Cuando pasaban cerca de él, notó que olían a desodorantes fuertes, casi como las matabicheras Baygon. De una manera disimulada, Benildo acercó su nariz a su sobaco y se dio cuenta de que olía mal. Tampoco para preocuparse, de todas maneras, porque él nomás había venido a ver, se dijo otra vez. Miró su reloj: tenía tres horas todavía para divertirse hasta la salida de su ómnibus. Compró más cerveza y recorrió el salón. Se animó y se acercó al palco donde varias mujeres bailaban desnudas, mientras otras desfilaban.

Nunca había visto Benildo tantas bellezas, tan amables y tan sonrientes. Aunque empezó a sentir ganas, no se animó a acercarse a ellas. Temía que le dijeran que no. Vio a una que nomás se paseaba por el salón, a quien nadie llevaba hacia el pasillo oscuro. Él estaba observándola cuando ella se dio cuenta y le sonrió. Él también le sonrió por unos segundos y se echó otro trago de cerveza. Evitó a toda costa mirarla de nuevo. Pero ella se acercó de repente, le dio un beso en la cara, le recorrió la cintura con las manos y le susurró en el oído.

—De lejos te vi que me estás deseando, letradito. No hay por qué sufrir tanto —le dijo al mismo tiempo que le rascaba la bragueta con sus uñas largas.

—Che ningo ajúnte ahechami haguã —dijo él.

—Bueno, para eso estoy yo, para que me veas hasta el alma. Cómo vas a venir al Cielito Show sin que te complazca yo.

Le quitó la cerveza de la mano, tomó un largo trago y se acercó más todavía a él. Mientras le seguía rascando la espalda con delicadeza le dijo:

—Veo que estás de paso nomás. No te voy a dejar regresar cargado. Se te puede reventar la espalda.

Él sonrió y se dio cuenta de que la posibilidad de pasarlo bien era aún más grande todavía.

—¿Y cuánto e' o qué? —preguntó.

—Para vos casi gratis —Le dio el precio.

—Ndacherupitýi.

—No te creo que no te alcanza —dijo ella y le llevó de la mano hacia la caja—. Aunque sabes qué, no podés llevar tu mochila a nuestra pieza. Guardá tu cuchillo y tu revólver también. Desgraciarã avati'yguejeje osoróne ñandereje.

—Nde, y ¿y dónde puedo dejarla?

—Allá en la esquina podés dejarla. En la parte más oscura —le dijo ella. De ahí se fueron como dos tortolitos a pagar en la caja.

Al ingresar a la pieza de función, Benildo vio en el piso de baldosa una palangana verde con agua y una pequeña toalla amarillenta. En ese momento entró al cuarto una anciana.

—Bajá tu vaquero y tu calzoncillo —le ordenó. Él siguió las instrucciones, aunque quedó confundido. La anciana se acercó a él, le levantó sus huevos para revisarlo y le peló la verga.

Tras la breve inspección, la anciana dijo:

—Sano es... y es un cero quilómetro, pero huele a cerveza caliente.

Él se subió el calzoncillo de un tirón.

—Ahora... mi paga —le dijo la anciana y añadió—: El placer tiene costo, churro.

Él sacó del bolsillo el dinero y le entregó un billete grande. La anciana salió de la pieza, cerró la puerta tras de sí y dijo:

—Vuelto no doy.

Mientras tanto, la mujer trancó la puerta y se sentó en el colchón que se hundía en lo profundo. Él le miró las grandes tetas y se bajó otra vez el calzoncillo, pero sin quitarse del todo el pantalón y la camisa. Ella se acostó y le dijo:

—Vení aquí, cojudo.

—Pero... ¿podés atenderle primero a este pichón como vos sabés? —le dijo apuntando a su pene.

—Te va a costar extra.

—Nde, ya no tengo más nio.

—Te jodiste entonces —le dijo con picardía—. Es más, vos ibas a ser el primero.

Benildo estaba con todas las ganas del mundo. Quería practicar lo que había visto en una revista que su tío le trajo de Buenos Aires, por lo que decidió pagar más. Sacó su plata y le entregó un billete. La dama procedió, pero Benildo no caía vencido.

—Los borrachos siempre duran más —se quejó ella.

—Nde, ¿por qué no vas a traer a una amiga tuya?

—Me acabás de decir que ya no tenés plata. Ella te va a cobrar el triple.

—Vos traéle. La vida es corta y la suerte no se repite.

Ella se ajustó la minifalda y fue a traer a su compañera y los tres se empavonaron en la cama. Las dos le lamieron a Benildo como las vacas lamen la sal. La recién llegada se acostó y se abrió las piernas, aún con los tacones rojos puestos. Él agarró su pene para rebuscarse por ella.

—No, no, no seas boludo. Ese es mi ombligo. Qué quilombero sos.

Apenado, por fin encontró el lugar que buscaba. Sintió lo caliente del vientre de ella, que apretó una y otra vez sus músculos vaginales hasta hacerlo explotar, sin que él pudiera consumar el placer con la otra que inició todo.

Se limpiaron con el agua de la palangana y se secaron. Regresaron al salón. Las dos le dieron un chaucito con las manos y él, aún no acostumbrado al abandono, fue a buscar su mochila, pero no la encontró. Quiso reclamar a la cajera, pero ésta le miró muy mal, por lo que prefirió dejarla en paz. Salió a la calle y desapareció diciendo:

—Quilombo la che rekove.

Sí, su vida era un quilombo.

TAXI AMARILLO

AMARILIS VEGA

Te levantas feliz, es martes 13 día de pago en tu oficina. Dejas caer un manantial de agua tibia sobre tu figura mientras cantas canciones de *rock and roll* a todo pulmón con el cepillo de baño sirviendo de micrófono en mano. Sales de la tina, unges tu piel con aceite de rosas y te pintas las uñas color lavanda. Decides peinar tu melena en una cola de caballo que oscila como el péndulo de un reloj antiguo. Te desayunas tu habitual café y *bagel* neoyorquino mientras te maquillas, decides pintar tus labios de rojo tomate, aunque sea día laboral porque estás contenta de estar viva. Miras por la ventana y sonríes al ver un día de verano perfecto con un cielo índigo carente de algodones flotantes.

Sales de tu apartamento en Manhattan vestida con un traje de chambray florido sujetado a tu diminuta cintura. El viento le da forma a su antojo. Tomas el tren subterráneo M96 para llegar a la Segunda Avenida y luego caminas hasta tu trabajo.

Es tu hora de almorzar y con tu cheque en mano decides ir al banco a depositar tu pequeña fortuna para irte de compras el fin de semana. A tu regreso y para no llegar tarde a tu trabajo alzas tu brazo izquierdo, mueves tu mano como bailarín de flamenco para detener un taxi amarillo en medio de la calle. Te das cuenta de que está un poco destartalado e incluso sucio, pero no te importa. Te subes sin tan siquiera mirar al conductor y le das la dirección de tu destino.

Empiezas a sentir un sudor frío que te recorre el cuerpo y tus vellos se levantan como estacas de madera incrustadas en tu piel. Percibes el sonido de la respiración de un monstruo suelto y reconoces el peligro cerca de ti. El viento que entra por la ventana te da bofetadas y despiertas a la escena. Miras el espejo retrovisor del taxi y lo ves por primera vez. Él te escupe una sonrisa carnívora. Un hombre de piel escamosa con ojos de depredador mueve su lengua bífida como reptil en desierto y se humedece repetidamente los labios gruesos que parecen salidos de su cara. Se relame la baba que le cae por las orillas de su boca y te percatas de sus dientes deformes. El taxista te observa y te hace sentir desnuda, manoseada, bañada de saliva ajena por todos tus orificios femeninos. Te dan deseos de vomitar, orinar, defecar y salir corriendo para salvar tu pellejo. Decides saltar del coche en pleno recorrido y te mueves sutilmente como lapa sobre una roca hasta la puerta. Le quitas el seguro, colocas tu mano sobre la manija para abrir la puerta y le dices con voz firme: ¡detenga el taxi, me quedo aquí! Si él no se detiene saltarás del auto. El taxista sorprendido frena y detiene el Chevrolet Caprice amarillo. Extiende su mano para que le pagues su tarifa y tú le das un billete de diez dólares sin esperar cambio alguno. Pero el hijo de puta te agarra la mano y por unos segundos sientes el depósito de miles de espermatozoides enloquecidos con sus rabos danzando sobre la palma de tu mano.

Huyes del maldito taxi amarillo como fugitiva trastornada con el miedo usurpando tus venas. Tu mirada distorsionada se pierde en las siluetas que atraviesan tu camino. Tratas inútilmente de limpiarte las bestias insolentes que pesan en tu mano sobre las flores de tu traje. Sientes cómo tu boca pintada de rojo tomate se derrite y se dispersa sobre tu rostro. Un sabor de sangre fresca se esparce por tu lengua. Hueles a sucio. Sabes a sucio. Corres despavorida sin mirar por donde vas, chocando con la gente, basureros, los postes y los árboles que te impiden avanzar. Derribas el puesto de venta de periódicos frente a tu trabajo sin pedir disculpas. En tu frenética fuga entras a tu oficina en busca del primer baño en tu camino. Comienzas a lavarte desde la muñeca hasta la punta de tus dedos una y otra vez hasta perder la cuenta del ritual. Intentas arrancar el esmalte color lavanda de tus uñas para borrar el tiempo. Te miras al espejo. Ya no te ves.

EL PAÑUELO

RAQUEL ABEND

Me había citado en nuestra habitación de siempre. La del olor a tabaco impregnado en la alfombra de felpa y los circulitos de cigarrillo chamuscados en el respaldar de la cama. La segunda vez que nos tocó esa habitación, reconocimos la constelación de quemadas en la madera y nos sentimos felices. A partir de ese momento, la establecimos como nuestra. No era gran cosa, pero al menos ahí podíamos estar juntos sin interrupciones.

Jaime hizo un café para él y otro para mí, con una vieja maquinita a la que le teníamos apego. Luego se quitó los lentes y comenzó a apretarse la cara, los ojos, el bigote pelirrojo. A restregarse un jabón invisible. Como si quisiera limpiarse frente a mí, arrepentirse de lo que había hecho o de lo que estaba por contarme. Nunca lo había visto tan nervioso. Ya habla, le dije.

Esa mañana se había caído en la cocina de su casa. Estaba persiguiendo una rata, cuando perdió el equilibrio y se intentó sostener de la mesa. El borde de ladrillo le raspó el antebrazo, rasguñándole la piel, dejándolo en carne viva. Sangró mucho. Y lo único que encontró para detener la hemorragia fue un pañuelo blanco de la esposa, que estaba extendido a un lado del lavaplatos. Era de lino, delicado, con sus iniciales bordadas en carmín. Jaime lo dejó empapado, como si la sangre hubiera brotado de las letras en una especie de acto retorcido y milagroso. Pensó en botarlo a la basura, pero quería ver la reacción de su mujer.

Cuando ella llegó a la casa, vio el pañuelo sobre la mesa de la cocina. Él le mostró su brazo despellejado, crudo. Le echó la historia de la rata. Escondió algunos detalles que reflejaban su torpeza y agregó otros para que todo sonara más épico. Pero ella solo le hizo una pregunta: ¿por qué manchaste mi pañuelo?

Ahí es cuando supe, me explicó, *que finalmente teníamos que divorciarnos*. Y entonces me mostró de nuevo su brazo envuelto en una gasa blanca, con una actitud de cachorrito que no solía tener conmigo. Luego siguió la historia, como si en realidad estuviera hablando para sí mismo, tratando de convencerse de algo. Encontrando nuevos detalles importantes en su memoria. En un movimiento tosco, me enderecé contra el respaldar de la cama, para que recordara que era yo quien estaba ahí. Me vio por un segundo, y continuó.

El pañuelo fue el portal que nos llevó a decirlo todo. Mi mujer confesó lo que me sospechaba: tiene un amante. Han estado cogiendo el último año. Un tipo de nuestra iglesia. Me dijo su nombre, pero no ubico al cabrón. Ahora entiendo por qué tanto altruismo. Lleva meses yendo casi cuatro veces a la semana. Que el pastor necesita esto. Que la esposa del pastor necesita lo otro.

Jaime volvió a apretarse los ojos y se pasó la mano entera por la nariz perfilada. Bajó hacia el bigote y bordeó la comisura de su boca, acariciándose a sí mismo para darse calma. Después miró la gasa, como si algo hubiera cambiado en los últimos segundos, o para asegurarse de que la herida seguía ahí, intacta.

¿Te estoy agobiando?

Negué con la cabeza. Lo más importante es que sintiera que conmigo podía hablar.

Mi mujer me dijo que lo ama.

Observó el espejo en el techo y respiró profundo. Yo miré sus hombros anchos y pecosos, luego las fosas nasales que se expandían mientras exhalaba un aliento avinagrado. Debajo de la venda, su piel se cubría de costras que lo alejaban de mí. Construían un pedazo de cuerpo que nunca llegaría a tocar.

En fin. La peor parte no es esa. Hace dos años, pensó que yo me había cogido una prima suya en Navidad. La morena que tiene como siete hijos. Pero tú sabes en dónde estaba realmente.

Sí, conozco la historia, dije.

Saber que nuestros encuentros afectaban su vida fuera de nuestra habitación me hacía sentir bien. Imaginar que ambos cosmos podían cruzarse en algún punto de la realidad. Rozarse al menos.

Lo que no te dije es que, después de eso, ella instaló cámaras en la casa.

No entiendo. ¿Qué tipo de cámaras?

Cámaras de vigilancia. Una en nuestro cuarto, frente a la cama, y otra en la sala, frente al sofá.

¿Me estás jodiendo?

La necesidad de Sily de vigilar a Jaime me dio celos. La odié, no porque estuviera enferma de la cabeza, sino porque pudiera experimentar ese grado de posesividad con él. Ese cachorrito indefenso y acorralado le pertenecía a ella, no a mí.

No te miento. La cámara estuvo grabando todo por dos años.

¿Cuándo te diste cuenta?

Hace un año. Justo antes de que ella comenzara su relación con el cristiano cabrón.

Eso no tiene sentido.

No, claro que no. Su explicación fue que necesitaba asegurarse de que yo no estuviera cogiendo con la prima.

¿Y realmente veía las cintas?

Al final de cada mes.

Me hubiera gustado robar esas grabaciones. Ver quién era Jaime en su casa. Cómo dormía con S. Si la abrazaba al dormir. Si era verdad que no cogía con ella.

Mierda. ¿Cómo pudiste seguir la vida?

No sé, traté de entenderla. O quizá fue la culpa por estar cogiendo contigo.

Está enferma de la cabeza.

Sí, ya sé. Pero sentí alivio porque las cintas no revelaban nada.

¿Entiendes? Ella había buscado prueba de mi infidelidad y no la encontró. Quizá te parecerá retorcido, pero sentí que algo dentro de mí logró balancearse. Fue como si lo que tú y yo tenemos hubiera sido liberado. Como si la vida nos hubiera abierto un agujero por el cual meternos y estar juntos sin problema.

Estás loco.

En fin, dijo ignorando mi comentario. *Hoy confesó que desde entonces ha estado cogiendo con este tipo.*

¿Después de que descubriste que te había estado vigilando?

Exacto.

Miré mi café y le quité la tapa con brusquedad. Lo bebí frío y sin azúcar. Él pareció recordar que también tenía un café y bebió un par de tragos. Me gustaba cuando copiaba mis gestos. Frunció los labios con amargura y se puso los lentes que había dejado todo ese tiempo sobre la mesa de noche. Me acerqué a su brazo herido y lo besé con cuidado.

Gustavo, han estado cogiendo en mi cama.

Me apretó el hombro, luego la nuca. Yo contuve las ganas de seguirlo besando. Todo me parecía demasiado absurdo para ser verdad. Un mes antes, nos habíamos encontrado como de costumbre y habíamos hablado de tener hijos. Por primera vez nos pusimos a fantasear juntos con hacer una familia. Dejar que lo doméstico nos infectara. Creer que el deseo también podía ser amor y estabilidad. Pero la siguiente vez, le dije que era una broma. Tuve miedo de vernos contaminados y quedamos en que ninguno iba a dejar a su pareja y que las cosas iban muy bien entre nosotros. Se nos da bien así, dijimos, dejando la vida por fuera.

Gustavo, el asunto es que todo esto me revolvió y ahora quiero contarte algo. No sé por qué te lo he estado ocultando, pero ya quiero decírtelo.

Mi reflejo fue apartarme de su cuerpo. Él se puso nervioso y sacó la carterita de whisky del maletín recostado a un lado de la cama.

¿Qué cosa?, pregunté.

Hace seis meses, cuando estuve en El Paso, estuve con alguien.

¿A que te refieres con "estar con alguien"?

Sin ofrecerme, bebió su whisky y luego se limpió la boca con el costado de la mano.

Me reencontré con un amigo de la universidad y le conté que llevaba un par de años infeliz en mi relación. Le conté que sospechaba que mi esposa tenía un amante. Y, no sé, su reacción fue besarme.

Permanecí callado. Las manos comenzaron a temblarme. Era lo que solía pasar cuando estaba a punto de perder el temperamento. Me crucé de brazos.

Estudiamos ingeniería juntos y siempre hubo atracción. Pareció el momento perfecto. Era ahí o nunca. Yo le respondí el beso y cogimos esa noche.

¿Solo esa noche?

No. Cogimos ese mes.

¿Siguen en contacto?

Sí, dijo, y se pasó las manos por la cabeza, afincando los dedos en el cráneo y enredándolos entre el cabello cobrizo y grasiento. *Hemos estado intercambiando mensajes desde entonces.*

Usualmente hubiera tenido ganas de pegar el puño contra la pared. De tirar el televisor por la ventana. Incluso de arrancar la puerta de su lugar. Hubiera tenido calor y sensación de asfixie. La cabeza hirviendo. Ganas de agarrar el revólver y pegar unos tiros. Pero no fue así. Por el contrario, sentí frío y debilidad. El aire acondicionado pareció convertirse en una masa transparente que comenzó a ocupar todos los espacios vacíos de la habitación. Me arropé con la cobija y lo miré a los ojos. Él parecía asustado.

Di algo, por favor.

¿Estás enamorado de él?

No. Él es mi amigo.

Es un amigo que te cogiste.

Ya cortamos comunicación. En serio.

En ese momento se levantó y comenzó a dar vueltas alrededor del cuarto. Bebía whisky y me miraba. Cada vez que pasaba por la ventana, su cuerpo alto y sólido se veía como una sombra amorfa a contra luz. Por un instante pareció jorobado, la desfiguración de sí mismo en la oscuridad. Las persianas mantenían el sol fuera de nuestro pequeño mundo.

¿Te jode?

¡Claro que me jode! ¿Por qué no me habías dicho nada?

Sentí que se me cerraba la garganta, como si la voz se hubiera vuelto una espina atravesada que podía matarme en cualquier momento.

No sé. ¡Es una estupidez! Tenía miedo de que me dejaras.

Tragué saliva y hablé despacio, con mucha dificultad. La espina ya no era espina. Era un pescadito lleno de espinas que subía y bajaba por mi garganta, como en una pecera cilíndrica sin salida.

Yo sé cuál es mi lugar. No tengo derecho a reclamarte nada, mierda, pero sí esperaba que al menos fuéramos sinceros entre nosotros.

No quiero que pienses que tuvo demasiada importancia.

Son amigos y ahora tienen sexo, Jaime. Eso puede durar toda la vida.

En realidad quisiera pasar mi vida contigo.

Su actitud de cachorrito ya no era ajena a mí. Ahora su convalecencia era enteramente mía. Su voz de víctima la estaba usando conmigo. Eso me dio fuerza, y pude levantar el tono.

No me jodas, cabrón, me atreví a decirle. Luego escupí el pescadito en el vaso de café, dejando un gargajo mostaza al fondo del plástico.

Es verdad. Siempre lo he pensado.

Qué conveniente. Justo cuando decidiste divorciarte porque te pusieron los cuernos.

El ímpetu continuó y logré salirme de la cama.

¿Por qué estás tan molesto? Tú y yo no estamos en una relación.

Me aproximé y le hablé de cerca, casi susurré. Olí el whisky en su aliento.

Claro que sí. No somos pareja, pero esto es una relación.

Sí, pero tú también tienes esposa, dijo, echándose hacia atrás.

Pero, ¿por qué me mentiste? Eso es lo que me jode. Mientras has estado escribiéndote con tu amigo, mi relación ha estado en peligro varias veces. ¡Por ti, pendejo! Desde hace un año he estado a punto de perder a mi esposa varias veces y ahora resulta que ni siquiera soy tu único amante.

¡No debí decirte nada!

Volví a acercarme a él y le di un empujón en el pecho, para acorralarlo contra la pared.

Obvio que sí debiste. Y lo has debido hacer hace tiempo. Ojalá hubiera sabido antes y no ponía en riesgo mi matrimonio. En cambio, he estado enamorándome de ti. Imaginando mi vida contigo, pendejo.

Nos vimos a los ojos y permanecimos callados. Esperé que dijera algo, cualquier cosa que me hiciera quedarme.

Pensé que eras honesto conmigo, le dije.

Él no respondió.

Me acerqué a la cama y metí la mano entre las sábanas para rescatar mi boxer. En silencio, comencé a vestirme.

Lo siento, dijo al fin.

Pero no se movió. Se quedó en la misma posición, acorralado contra sí mismo. Siendo esa figura anómala que ya estaba demasiado mezclada con la oscuridad. La sensación de una fría debilidad volvió a extenderse por mi cuerpo erizado y torpe. Algo se había roto. Y la luz, ya no era la misma.

Esto es absurdo, dije resignado. Qué pendejo soy.

En ese momento recordé que tenía un paquete de clínex en mi maletín. Terminé de ponerme la ropa que tenía regada por el suelo. Me puse las botas. El sombrero. Saqué un pañuelo blanco y, antes de partir, se lo dejé en la mesa.

VEINTIDÓS DE SEPTIEMBRE

GRACE BEDOYA

Ella sale del juzgado seguida de cerca por el hombre, y ambos caminan con rapidez hacia el auto que los espera. El conductor desciende del mismo y abre con diligencia la puerta trasera. El hombre, sin embargo, obvia la puerta abierta para ellos y se sienta en el puesto delantero sin decir palabra. Ella, por su parte, entra a la parte posterior del coche y le da las gracias al chofer. El carro se une entonces al tráfico caótico de Caracas al mediodía, y ella viaja como flotando, ajena al calor de afuera, al enjambre de automóviles y gente, al ruido amortiguado por las ventanillas cerradas, al dolor que ya no siente.

Trata de asimilar lo ocurrido durante las últimas dos horas. El juzgado atiborrado, sofocante, gris. Ellos, uno al lado del otro, evitan mirarse en la fila que avanza con pesadez. La abogada de ambos se encuentra al lado del hombre y conversan a ratos, mientras las dos mujeres se ignoran. Una voz femenina, aguda, los llama por sus nombres con desdén. Ellos ahora frente a una taquilla. Detrás del vidrio se encuentra una funcionaria que tiene una verruga en el mentón, una verruga de la que salen pelos como alambres gruesos y negros, amenazadores. La abogada presenta una carpeta con papeles engrapados. La funcionaria les hace las preguntas de rigor. Ellos responden. La funcionaria les dice algo, y les pide que firmen en la parte inferior. Ella duda unos instantes y examina los alrededores hasta comprender que debe firmar allí mismo, de pie, sobre un pequeño mostrador en el que no cabe el documento completo.

De pronto siente que se desdobla y se ve a sí misma simultáneamente en dos realidades paralelas, dos eventos con dieciséis años de separación entre ellos. Una ella se encuentra de pie frente a un sacerdote. Está vestida con un traje largo de color perla, sin mangas, y sujeta un bouquet de rosas rojas. Sonríe pero tiene los ojos húmedos. El hombre está a su lado y la contempla con absoluta adoración. Sesenta y tres personas, entre familiares y amigos íntimos, los acompañan. Al fondo de la iglesia un cuarteto de cuerdas interpreta Las cuatro estaciones de Vivaldi.

La otra ella es la que está en ese juzgado infame. Tiene los ojos secos y un rictus en la boca. En una mano sostiene el documento y en la otra un bolígrafo negro, barato. A su lado, el que aún es su marido la mira con impaciencia. La abogada habla por teléfono, la funcionaria de la verruga tamborilea con un lápiz sobre su escritorio, y decenas de personas sudorosas emiten un zumbido como de enjambre magnificado. Con que así acaba todo, alcanza a pensar, mientras la escena de la boda se congela por un segundo antes de pulverizarse.

Algo vibra dentro de su bolso y un pitido ensordecedor la trae de vuelta al auto al que acaban de subirse. Saca el objeto vociferante, que en la pantalla muestra caracteres oscuros sobre fondo cegador. Ella trata de reconocer eso que tiene en la mano: un pequeño artefacto Motorola. Los caracteres empiezan a organizarse solos ante su mirada ya no tan perdida, y se convierten en letras, sílabas, palabras, frases que alguien acaba de escribir.

"NoeimagnasatristqusintNuenséqenutromtrmoiotmiaríasLientomucoPrfaorerónaeporodoqeteehecQusieapodramiarlouepóreceerltieoyquvoiéraoaerouefios."

Incoherencias.

Mira sin observar a través de la ventanilla y se da cuenta de que lleva varios segundos sin respirar. Los músculos abdominales se encuentran de manera dolorosa aferrados a sus costillas, y el aire apenas se filtra a través del breve espacio que deja libre ese abrazo forzado. Hace un esfuerzo consciente, cual delfín, por respirar. El corazón martillea contra sus tímpanos e impide que los ruidos de la calle lleguen a su mente.

Su mente... Su mente se encuentra, de forma inusual, en negro.

Trata de abstraerse de la angustia y su mirada se pierde en la acera llena de transeúntes, vendedores ambulantes, kioscos de venta de periódicos y chucherías, perros callejeros, basura. El auto transita con lentitud por las calles del centro de la ciudad, tanto que ella siente que van en retroceso mientras los peatones los adelantan caminando por la acera a toda velocidad. Todos van apurados, nadie sonríe. El pavimento está húmedo y agrietado, y el río de gente empieza a transformarse ante sus ojos en una masa amorfa.

Sus ojos se apartan de la naturaleza muerta y gris de allá afuera, y vuelven a fijarse en su teléfono móvil. Se enfocan solos a pesar del temblor que viene, no se sabe si del objeto, o de los huesos cubiertos de pellejo que lo sostienen. Ella ve desde allá arriba sus propias manos, diminutas, de uñas cortas y sin pintar, sin anillos: las manos de una niña.

Sus manos se quedaron del mismo tamaño que tenían cuando era una pequeña de unos nueve años. Se quedaron así —bromea ella siempre— por obra del conjuro de su madre, un día lejano. Se encontraban las dos en la casa de su infancia, acostadas en la cama de la habitación materna, en el pueblo ardiente. Su madre, que no sabía acariciar y casi nunca sonreía, se apartó de manera temporal de su rol de progenitora severa para entregarse a un gesto de rara ternura. Le palmeó con suavidad las manos a la niña de siete años, ¿o eran cinco?, y sentenció: qué manos tan pequeñitas, ojalá que nunca crecieran. Y en ese momento las manos dejaron de crecer.

El objeto que sostienen las manos que se resistieron al paso del tiempo vibra de nuevo. Ella observa la pantalla y ve los mismos caracteres, solo que ahora más precisos.

"No te imaginas la tristeza que siento. Nunca pensé que nuestro matrimonio terminaría así. Lo siento mucho. Por favor, perdóname por todo lo que te he hecho.

Quisiera poder cambiar lo que pasó, retroceder el tiempo y que volviéramos a ser lo que fuimos. Aún te amo."

Recuerdos de algunos fragmentos de su vida juntos la asaltan de manera aleatoria. Su primer beso, acostados ambos en el techo de su apartamento luego de romper nubes. Los dos en el cementerio, de pie bajo la lluvia tomados de la mano, el día que enterraron a la madre de él. Ella sentada en su auto, llorando, luego de recibir la noticia de que ambos eran infértiles. Su respuesta cuando ella lo llamó por teléfono, y la certeza de que, con hijos o sin ellos, todo estaría bien. Una noche los dos en una carpa en una isla del Caribe, una tormenta. Ella ya sin miedo a los relámpagos abrazada a él. Ella de pie en su dormitorio con su teléfono celular en la mano, gritándole algo a un él que la observa, impávido, desde el sofá. El ruido de algo que se estrella contra el piso. El silencio.

Ella intenta enfocar de nuevo su atención en la vida que pasa del otro lado de su ventana, pero siente vértigo. De pronto no está segura de dónde está, no tiene certeza de su propia existencia. La embarga una sensación de terror ante la noción del presente, ese momento que por un instante es el futuro, pero pasa con rapidez a ser el ahora, para luego escaparse sin transición a ser irremediable pasado. ¿Existe entonces en realidad el presente —se pregunta—, o navegamos del futuro al pasado sin tener nunca un estado estable, permanente, un aquí y un ahora? Ella siente que es una tránsfuga que habita entre la nostalgia de lo que fue y la fantasía de lo que tal vez nunca llegará.

Un frenazo del auto acompañado del ruido de bocinas la aterrizan de vuelta en ese plano transitorio entre el pasado que acaba de firmar y el futuro incierto que está por empacar. O, quizás, entre el futuro que acaba de firmar y el pasado que empacará pronto en tres maletas.

A su derecha, en la esquina, un niño intenta venderle una bolsita de tostones a un sacerdote, pero éste lo aparta con un leve empujón y sigue su camino. El niño le grita algo, le hace un gesto con el dedo medio, y luego mira directamente hacia ella, con rabia. Ella desvía la mirada con rapidez, toma su bolsa de mano, la cierra y la coloca en el piso.

El hombre que se desdibuja en el asiento delantero emite entonces un sonido que la sobresalta, y le da instrucciones al conductor acerca de la mejor ruta a tomar a esa hora. A ella le cuesta reconocer el sentido de esas palabras. Le cuesta también reconocer el timbre de esa voz antes tan conocida. Y le cuesta aún más relacionar a ese hombre con el autor de los caracteres esos, negros y vacilantes, que oscilan en la pantalla del teléfono celular que yace sobre sus muslos, junto a las manos que nunca crecieron ahora crispadas sobre las rodillas. El mismo hombre que, a las cuatro de la madrugada del presente que ocurrirá al día siguiente de ese instante que ya se va transmutando en pasado, llorará en el momento de la despedida.

Al darle un último abrazo, él susurrará en su oído una declaración final seguida de una promesa.

Ella, por supuesto, no le creerá. No le cree. No le creyó.

LA MASA

MARÍA CRISTINA MANRIQUE

Ese año salimos tempranito, yo estaba feliz de no tener que ir al colegio y me encantaba ser la acompañante de mi mamá. Teníamos que recoger a Hortensia antes de ir a casa de mis abuelos para poder arrancar. La vimos esperándonos en la mata de mango que sombrea la bocacalle donde empieza la avenida Nivaldo. Estaba con su vestido rosado de flores azules y su bolso grande, a unos cuantos pasos de la parada de carritos por puesto.

Se montó en el carro alegre y conversadora.

A mí siempre me gustó andar entre los adultos, escucharlos y enterarme de las historias increíbles que nos contaban las señoras de servicio que trabajaron con nuestra familia. Sus vidas me parecían aventuras imaginadas y me llamaba la atención cómo llegaban y salían de la casa muy arregladas y maquilladas. Pero mientras hacían su trabajo, usaban uniforme, se quitaban el maquillaje y se veían como si fueran otra gente.

Yo no sabía que Hortensia había tenido que hacer la cola en la estación de la redoma de Petare, junto con el ejército de trabajadores y señoras de servicio, que esperan cupo en los carritos.

Ese día, en el trayecto, me empecé a imaginar cómo le contaría Hortensia a su familia sus aventuras con nuestra familia, en un día como el de hoy, en el que se trabajaba con música y con el olor a sopa que siempre percibía cuando llegábamos a la casa de mi abuela.

Yo soñaba con crecer para ser la persona (como mi mamá o mi abuela) que manejaba el carro, que se sabía las recetas y a quien preguntaban cómo iba la sazón. Apenas tenía ocho años recién cumplidos, era la mayor de todos los primos, y me sentía que conocía la rutina en casa de mi abuela cuando llegaba diciembre. Ya me habían traído varias veces a explorar cómo se fabricaban las tradiciones de nuestra familia. Pero yo no sabía qué quería decir, ni cómo se podía saber cuál, ni qué era la sazón.

Al llegar a la casa de mi abuela, Hortensia se transformaba en esa señora igualita a la de las comiquitas de Tom y Jerry. Era morena, gorda y fuerte y se ponía un pañuelo en la cabeza. Era la experta de la masa, y por eso, a pesar de su edad, siempre la buscaban para que participara en la hechura de las hallacas, uno de los orgullos culinarios de mi familia, y había prometido, que mientras ella pudiera, lo disfrutaría. Desde la madrugada, en la cocina de mi abuela, ya se habían puesto dos ollas con agua para hervir el maíz. Hortensia, quien sabía utilizar la máquina de molerlo, era la que comenzaba el ritual de cada año. Tomaba su lugar y se sentaba con una ponchera entre sus piernas, a recibir el resultado que escupía la máquina, a cada giro que le daba a la manilla con su fuerza. Mientras que mi mamá (también muy fuerte), instruida por Hortensia, iba echando el humeante maíz cocido en el recipiente del molino.

A las nueve de la mañana ya habían varios montones coloreados, amasados con la manteca de cochino con onoto, el caldo de gallina y el pimentón licuado. Mis tías, mi mamá y mi abuela habían picado unas canillas en trozos y rallado queso de año para tomarlo mojado en el café con leche, pero a Hortensia le gustaba guayoyo, colado con media, no de greca. Ese día, era día de pan y sopa. Pues la preparación para tener listo el guiso para rellenar las hallacas y la cantidad de pailas que se necesitaban, ocupaban todas las hornillas de la cocina. El caldo de las gallinas lo reservaban para el almuerzo y se le ponían zanahorias, ocumo, ñame, jojoto y a veces rodajas de cambur.

Yo caminaba, asomándome en puntillas, recorriendo maravillada desde la cocina, con ese olor de comida casi lista, hacia el pantry donde mis tías picaban el adorno y comían su desayuno. Iba como en un paseo hasta el lavandero donde se limpiaban y se cortaban las hojas de plátano en los tamaños que tenían nombre. Extender, tapa, camisa y faja. Mi abuela me complacía mucho y siempre me daba para tomar carato de guanábana, pero no ese día. Con cariño me explicó que como venía tanta gente a la casa, habían exprimido dos kilos de limones para hacer guarapo de papelón, que iríamos tomando para refrescarnos, durante el largo proceso de armar las hallacas. Me aseguró que también me iba a gustar.

Hortensia era como de la misma edad de mi abuela y se conocían desde hacía muchísimos años cuando llegó a Caracas, antes de que algunas de mis tías se hubieran casado. Ella quería y respetaba mucho a mi abuela, quien la había entrenado en los quehaceres domésticos.

Mientras las tías se alegraban al ir acumulando las hallacas amarradas, yo esperaba que se hiciera de tarde cuando vendrían los demás chamos después que salieran del colegio. Entre los primos nos inventábamos nuestras fantasías, mientras competíamos entre nosotros, tratando de hacernos creer que a cada uno nos habían dado trabajos más importantes que a los demás en la mesa grande de amarrar hallacas. Yo los escuché llegar, corrí a la entrada y vi cuando mi abuelo, ese señor alto, de pelo engominado a quien yo adoraba, siguió derecho, hacia la escalera principal sin pasar por la cocina evitando que alguien lo viera. Nunca pasaba por la cocina. A mi me gustaba meterme en su estudio y curiosear lo que tenía ahí. Era un abuelo de cara rosada y dulce, aunque siempre nos corregía las palabras y nos ponía a sudar cuando le daba por someternos a sus sesiones de adivinanzas. Mi abuelo era un investigador curioso y en una terraza detrás de su escritorio tenía un telescopio desde donde me mostraba las estrellas. Ahí existía un mundo que él había creado y donde yo me sentía como de viaje cada vez que entraba a verlo. Tenía una maquina de escribir eléctrica que yo quería aprender a utilizar. Mi abuelo sabía muchas cosas y nos hablaba de las distancias entre el sol y los planetas, y hasta nos llegó a decir que había descubierto una octava nota musical.

En el picó de la sala mis tías ponían aguinaldos y las típicas gaitas de chistes de Joselo que salían cada año o el preferido de mi tía Marta (la gorda gozona y rumbera), el disco de chistes de Álvarez Guédez. Los niños nos sentíamos mayores porque podíamos participar en lo que hacían los grandes y escuchar esos chistes con groserías. Las amigas de mi mamá y sus hermanas traían botellas de Ponche Crema que iban abriendo y dejando sin vigilar en ese despelote. Mi primo Juanfran y yo, aprovechábamos de tomarnos los resticos de los vasos que se habían servido, vigilando que los adultos no nos estuvieran viendo. Y, si nos daba chance, hasta nos servíamos escondidos en nuestros vasitos de anime, directo de la botella.

En plena jornada de amarre de hallacas, siempre había una crisis, y Hortensia lograba regresar a todas a la calma. Ese día, habían traído bastante Ponche Crema, ya eran como las cinco de la tarde y en el entrar y salir de amigos y parientes que venían a echar una manito, habíamos vivido varios momentos de tensión. Uno de estos momentos había pasado unos minutos antes, cuando decidieron tratar de esconder las pechugas. Una de las amigas de mi tía Fernanda (la más distraída de todas), que venia a acompañar y apoyar en la faena, mientras conversaba se las iba comiendo y si no nos poníamos las pilas, no dejaba ni una ñinga para el adorno. Entre las tías hubo subidas de ceja y peladas de ojo, pero mi tía Fernanda no se daba cuenta que había que esconder las pechugas. Y sin querer, no colaboraba en la estrategia disimulada, de quitar de la mesa la bandeja en la que estaban y cambiarla por una más pequeña.

Mi abuela, vigilando el proceso, contaba las hallacas que metía a hervir en la olla enorme. De repente, salió de la cocina, impaciente, a corregir el tamaño de las bolas de masa. Dijo que las de extender estaban bien, pero las de la tapa estaban desproporcionadas y las hallacas estaban quedando demasiado grandes y muy gordas. Que parecían bollos gigantes y por eso no le cabían en la olla el número que siempre ponía. Mi tía Carmen (de quien decían que era un cristal) había trabajado por horas en redondear la masa en bolas que diligentemente iba contando. Sosteniendo una bola en la mano, se frustró con lo dicho por mi abuela. Mi abuela le dijo que tenía que volverlas a hacer. Se armó la sampablera y todas las tías empezaron a opinar, levantando la voz una sobre la de la otra, todas sin prudencia. En una de esas, mi tía Carmen le lanzó la bola que tenía en la mano a mi tía Lucía (que era la más echadora de broma y burlona), y con la misma todas empezaron una guerra de bolas de masa que yo veía volar sobre mi. Todos los chamos estábamos alelados viendo aquella batalla y no sabíamos si reírnos o llorar del susto al ver a nuestras mamás perdiendo el control.

Mi abuela le dió un pellizco a mi tía Cristina (la menor) que había gritado, y le dijo, levantando la voz, que se estaba comportando como una nadie, que así no había sido educada. Hortensia, se quitó el delantal y anunció que hasta ahí la traía el río. Se paró de su puesto en el pantry con una agilidad increíble, dirigiéndose hacia el lavandero, a buscar refugio con su hija Mariela que estaba limpiando y cortando las hojas.

A los pocos pasos, los pies se le enredaron entre el pabilo que había caído al piso y Hortensia se resbaló. La guerra de bolas de masa que aun seguía en pleno, se interrumpió. En ese momento bajaba por la escalera de atrás mi abuelo que había oído el bululú desde su estudio. Hortensia perdió el equilibrio y con el impulso que llevaba se cayó encima de mi abuelo que no la pudo sostener y los dos se fueron al piso de platanazo. ¡Hortensia sobre mi abuelo! Juanfran y yo no podíamos parar de reír y al mismo tiempo estábamos chorreados del susto. Seguro nos iban a regañar, pero nadie nos estaba viendo y en complicidad aprovechamos la conmoción para tomarnos otro poquito de los restos del Ponche Crema que quedaba en los vasos descuidados.

Hortensia en su salida rápida había tumbado la ponchera de masa y los dos cayeron parcialmente sobre ella. Cuando logró levantarse, mi abuelo, siempre elegante y siempre buenmozo tenía pegada a la espalda y al rabo una bola de masa gigante. Mientras tanto el cuatro, furruco, charrasca y maracas habían dejado de sonar y del disco de Álvarez Guedez se escuchó: "Me cago en el año viejo, me cago en el año nuevo, me cago en el arbolito y me cago en ti". Le vi la cara a Hortensia, estaba muda, temblorosa, conteniéndose, a punto de soltar el llanto.

Mi abuelo, la ayudó a levantarse, le acercó la silla y pidió un vaso de Ponche Crema para acompañarnos (fue la primera y única vez que compartió en la cocina el plan de hallacas). Mi abuela me miró, se sonrió y asintiendo, me pidió mi vaso, agarró la botella que tenía más cerca y me sirvió delante de todos mi primer vaso de Ponche Crema para poder brindar.

SEMBLANZAS

Raquel Abend van Dalen. Venezuela. Magíster en Escritura Creativa en Español (NYU). Autora en poesía de: *La beata de las locas* (Entropía Ediciones, 2019), *Una trinitaria encendida* (Sudaquia Editores, 2018) y *Sobre las fábricas*, (Sudaquia Editores, 2014). En narrativa: *La señora Varsovia* (Lp5 Editora, 2020), *Cuarto Azul* (Kalathos Ediciones, 2017) y *Andor* (SubUrbano Ediciones, 2017). Actualmente es doctoranda del Ph.D en Escritura Creativa en Español de la Universidad de Houston.

Grace P. Bedoya. Venezuela. A partir de 2010 hizo de Houston su ciudad adoptiva. Trabaja como ingeniero en el área de petróleo y gas, y hace unos años volvió a la universidad para graduarse en un programa de Maestría en Artes Liberales en la Universidad de St. Thomas. Dos de sus relatos cortos, "El lazo azul" y "La niña que vestía de gris", han sido publicados en las antologías *Dime si no has querido. Antología de cuentos desterrados* (Literal Publishing, 2018) y *I Edición de Cuentos de FAEC* (Caracas, 2011), respectivamente.

José Carrera. Paraguay. Estudió Filosofía en el Instituto Superior de Estudios Humanísticos y Filosóficos (ISEHF) de Asunción. Es residente de Houston desde el año 2000 y en la actualidad es productor de Noticias en Univision 45 Houston. Su cuento "El Príncipe Guaraní" forma parte de la antología *Dime si no has querido. Antología de cuentos desterrados* (Literal Publishing, 2018). También, su cuento "Su

Excelencia" es ganador de Premios Juan Antonio Rojas 2019, otorgado en San Juan Nepomuceno, Paraguay.

Lucia Charry. Colombia. Realizó sus estudios Universitarios en Ciencias de la Comunicación en la Ciudad de México. Trabajó por veinte años en agencias de publicidad en Ciudad de México, Panamá y EEUU. Se desempeñó como profesora Universitaria por más de cinco años. Realizó sus estudios de posgrado en La Universidad de Massachusetts. Ha publicado cuentos en antologías colectivas, diferentes artículos y ensayos en revistas en español en Los Ángeles California y Houston Texas, en donde reside actualmente.

David Dorantes. México. Es periodista y escritor coautor del libro de relatos *Dime si no has querido. Antología de cuentos desterrados* (Literal Publishing, 2018). Ganó el Premio Emisario de Periodismo 2000 de la Universidad de Guadalajara y tomó el taller de crónica periodística con Gabriel García Márquez invitado por la Fundación Nuevo Periodismo Iberoamericano (FNPI).

Como periodista ha publicado reportajes, entrevistas, crónicas policiales y artículos musicales de opinión en México, España y Estados Unidos. Algunos de sus cuentos han aparecido en las revistas mexicanas *Trashumancia, Blanco Móvil, La Rueda* y *La Canica*. Fue fundador de los periódicos Siglo 21 y Público. En sus ratos libres estudia la nyckelharpa, escribe sonetos y haikús y quiere adoptar un rinoceronte.

Abigail Duarte Herrera. México. Radica actualmente en los Estados Unidos. Hija, esposa, hermana, tía, amiga, activista, abogada, traductora y cuidando de un amor de cuatro patas. Busca lo positivo en todo y en todos. Escudriña las historias familiares que van tomando forma para quedar plasmadas en un libro de historias cortas.

Ana Escalona Amaré. México. Reside en Estados Unidos desde 1998. En 2016 publicó el libro *Breathing Life: la campaña de Nat* (CreateSpace) y se unió a los talleres de escritura creativa de Literal donde participó en la antología *Dime si no has querido. Antología de cuentos des-*

terrados (Literal Publishing, 2018). Su formación académica es en economía y finanzas, pero movida por su interés de servir a la comunidad inmigrante, actualmente estudia la maestría en trabajo social de la Universidad de Houston.

Leslie Gauna. Argentina. Es profesora en la Universidad de Houston. Ha sido incluida en el libro de ensayos *The Career Trajectories of English Language Teachers* (Penny Haworth, 2016). Actualmente está trabajando en su próxima novela y en un libro de cuentos.

Lourdes Gonzáles. Cuba. Escribir ha sido su pasión por lo que ha decidido que nunca es tarde para intentar expresarse en su propia voz.

Leonardo González Torres. Chile. Estudiante PhD Escritura creativa en español en la Universidad de Houston. Ha publicado los libros *Alemania, Nanas, Una pensión en Yungay, Imago* y *Ella y los cerdos.* Ha obtenido el Premio de Dramaturgia del Teatro Nacional Chileno (2012), el Premio Municipal de Literatura de Santiago (2014), la XVI Muestra de Dramaturgia Nacional (2016), el Premio La Rebelión de las Voces (2019), entre otros. Sus textos teatrales han sido traducidos al alemán, inglés y portugués. Sus obras se han representado en Europa y las Américas.

Alex Adán Guerra Soto. México. Es doctor en medicina y ha publicado en Bayou Review. Desde hace 17 años trabajan para el distrito escolar de Houston.

Lázaro Guzmán Cristiá. Cuba. Graduado de Ingeniero Agrónomo en 1999 en la Universidad Agraria de La Habana. Tiene publicado poemas en la antología *Letras de Babel,* (Abrace editores, 1999). Actualmente es miembro del Taller de escritura creativa que imparte Rodrigo Hasbún en Literal en Houston, Texas. En 2017 fue finalista del 4to concurso de cuento La Nota Latina en Miami, Fl.

Lissete Juárez. México. Participó en la antología *Dime si no has querido. Antología de cuentos desterrados* (Literal Publishing, 2018). Actualmente vive en Houston. Trabaja actualmente en su primer libro de cuentos.

Maria Cristina Manrique de Henning. Venezuela. Es una ingeniera de sistemas venezolana-estadounidense. En 2001, se mudó a Houston con su esposo Pablo y cuatro hijos. A partir de ese cambio radical de vida se planteó escribir un diario para documentar la experiencia. Un proyecto incompleto e interrumpido muchas veces y que casi veinte años más tarde explora desde otra perspectiva, participando en el taller de escritura creativa de Rose Mary Salum desde 2019.

Heriberto Moreno. Colombia. Escritor de relatos cortos. Uno de sus cuentos ha sido publicado en la antología de cuentos *Dime si no has querido. Antología de cuentos desterrados* (Literal Publishing, 2018). Vive desde el 2002 en la ciudad de Houston con su mujer y su hija. Trabaja actualmente en su primer libro de cuentos.

Carlos H. Ortega. México. Licenciado Industrial, con una carrera técnica en Instrumentista en guitarra. Participó en los Talleres del Centro Toluqueño de Escritores con Eduardo Osorio. Después de mudarse a Houston, en los Talleres con Rodrigo Hasbún, Alberto Chimal y Giovanna Rivero. Desenvuelto en las diferentes disciplinas encontró el motivo de su escritura: conectar con una humanidad mas allá de las naciones, espíritus y universos.

Macky Osorio. Colombia. Por la profesión literaria de su padre, pasó su infancia y adolescencia en Argentina, Chile y la República Dominicana. Después de finalizar el bachillerato en Bogotá, inició estudios de Filosofía y Letras en la Universidad de La Salle en la misma ciudad. Su espíritu aventurero la llevó poco después a Berlín donde tomó clases de Historia del Arte y Comunicación Social en la Freie Universitaet. Vivió varios años en Venezuela dedicándose a las Relaciones Públicas. Por motivos de su profesión, emigró a Los Estados Unidos, viviendo en Nueva York y Miami. Reside actualmente en Houston. A participado en los Talleres Literarios de Literal.

María Elisa Peralta. México. Vive en Estados Unidos desde 2006. Es Licenciada en Periodismo y Comunicación Colectiva (FES Acatlán) y trabajó como Analista de información para la Secretaría de Gobernación (1988-1992). Más adelante, en el departamento de marketing de la agencia Gaspar & Asociados y la empresa Printaform. Forma parte del taller de Escritura Creativa del escritor Rodrigo Hasbún en Literal desde el 2017.

María Quiroga. México. Ha publicado en las antologías *BidiBidi-BomBom* (Paraíso Perdido, 2018) y *Poemas de Cinco Países* (El Mensú Ediciones, 2012). Los cuentos "Deshechos tóxicos" y "Cuarentena en vivo" (Beek, 2020) se publicaron para la serie en audio. Es escritora, comunicadora y promotora de la lectura.

Amarilis Vega. Puerto Rico. Realizó su doctorado en Medicina Interna, Endocrinología y Medicina Nuclear en New York. La vida de la Dra. Vega se compara a un ave y sus dos alas, en una lleva la medicina y en la otra las letras. La búsqueda de sus raíces genealógicas la llevó a la isla de Mallorca en España, en donde presentó con éxito su emotivo cuento "Emigrante", ante representantes del Gobierno Balear durante un evento organizado por la Asociación Baleares de Puerto Rico. En los últimos seis años ha estado tomando talleres de escritura en Literal. Está convencida de seguir compartiendo sus experiencias personales a través de su prosa.

Este libro se realizó en
www.elrecipiente.com
México, 2021.